LA PRINCESSE DE CLÈVES

BY

MADAME DE LA FAYETTE

WITH AN INTRODUCTION AND NOTES BY
H. ASHTON

CHARLES SCRIBNER'S SONS

NEW YORK

PREFACE

La Princesse de Clèves is one of the most important novels in the history of the *genre* and the only XVIIth century novel that is widely read in France today. It will readily be admitted, therefore, that it should be known to all interested in French literature. This admission presupposes an annotated edition, for the language has so changed since Mme de La Fayette's day that the reader who sets forth without a guide may go seriously astray.

The editor has endeavoured to accustom the reader to the fact that words are living things and change in meaning as they grow older. Some of the words used in this novel are now dead. Others that were in very good standing have fallen from their high estate. To make this clear *French* equivalents instead of English translations are given for words that need explanation. The editor's Cambridge edition (see bibliography) attempts to show where the author found her historical material and how she used it. As this question is of interest only to the special student it has here been treated generally in the Introduction, not in the notes, but from time to time the editor has stepped in to point out the qualities and defects of the story and of the style.

Thanks are due, and are willingly rendered, to the Cambridge University Press for permission to reproduce the greater part of the Introduction and Notes to the edition published by the Syndics.

H. A.

The University of British Columbia
Vancouver, B. C.

CONTENTS

CONTENTS

INTRODUCTION

Marie-Madeleine Pioche de La Vergne was born in Paris, probably in the Palace of the Petit Luxembourg, in March 1634. Her mother Isabelle Pena was lady in waiting to the Duchess of Aiguillon who lived in the Palace. Her father Marc Pioche was tutor to Armand de Maillé, Marquis of Brézé. He had succeeded so completely in transforming this timid child into a hard-working youth, ambitious and self-assured, that Mme. d'Aiguillon, grateful for this transformation of her cousin, opened her house to tutor and pupil and even reserved an apartment for their use.

Marc Pioche, of very minor nobility, for years a struggling soldier, thus found himself introduced to court life and his culture and genial wit opened to him also the Hôtel de Condé and the famous Hôtel de Rambouillet. Isabelle Pena brought him a small dowry but a circle of powerful protectors, for she was of an old and illustrious Provençal family.

Little is known of Marie-Madeleine's girlhood, but during the years spent in Paris she received a better education than was generally given to girls of her day. It has been the practice of her biographers to exaggerate the soundness of this early training and to represent the future Mme. de La Fayette as a very learned lady indeed. A careful study of her correspondence with Ménage shows her equipment to have been as follows: a good knowledge of French—with the disregard of spelling and punctuation characteristic of her time;

a fair knowledge of Latin but by no means the thorough mastery of the language that has been attributed to her; a charming ignorance of Greek in which she dabbled for some time under the guidance of Ménage; a good knowledge of Italian and some acquaintance with Spanish. She read historical works, novels and poetry, but was by no means a blue-stocking. There is nothing in her choice of reading or in her comments on what she read that shows her to have been possessed of exceptional critical powers. She liked what pleased her contemporaries but was generally opposed to over-ornamentation of style, to verbosity and, in later years, to high-flown sentiments.

The incidents of her life are better known after her marriage. She was the eldest of three girls. Her two sisters Eléonor-Armande and Isabelle-Louise both became Ursuline nuns so that she enjoyed all the privileges of an only daughter and was able, in spite of her parents' modest rank, to marry the bearer of an ancient title. François, Count de La Fayette lost his first wife [1] before she had borne him an heir to his somewhat encumbered estates. When he met Mlle. de La Vergne, in 1655, he was nearly forty years of age. She was twenty-one, attractive, well-educated and though not of a very illustrious family was well and favourably known at court. She also brought a dowry that would be very useful to La Fayette who had several lawsuits on his hands and very little revenue.

Many biographers have stated that M. de La Fayette died a few years after the marriage. Others relate a lack of understanding between him and his wife that resulted in an early separation. Neither of these state-

---

[1] The fact that M. de La Fayette married twice appears to have escaped the notice of all biographers (including myself) until M. Emile Magne began his researches. See his *Mme. de La Fayette en ménage.* Paris, 1926.

ments is in accordance with fact. Mme. de La Fayette bore him children and while he spent much of his time on his estates she was busy in Paris with their education and his lawsuits. Whenever the Count could journey to Paris he did so and his wife went several times to Espinasse. She required medical care that was not to be found in an isolated castle in Bourbonnais and there is no reason to believe that there was any lack of sympathy or affection between M. de La Fayette and the mother of his much-desired heir.

For a time she lived in Bourbonnais, but soon reappeared in Paris, at first for short visits of a few months, finally as a permanent resident. She rejoined the circle of friends that included Mme. de Sévigné, Perrault, La Rochefoucauld, La Fontaine, Ménage, Segrais, Huet, Mlle. de Scudéry and other literary celebrities. As lady-in-waiting to Madame Henriette she saw court life at close quarters. She supported her friend Madame Royale in her quarrels at the Court of Savoy, and to enable her to present the situation to Louis XIV in the most favourable light she had to be kept posted in the intrigues of that court. She had two sons, the elder an abbé, the younger an officer in the army, and, as she helped and protected both of them in their careers, she was in touch with matters ecclesiastical and military. She was practical and ambitious for her children and soon learned the necessity of frequenting the influential people of the day. Few women knew the court of Louis XIV as she did. Even her friend Mme. de Sévigné admitted that Mme. de La Fayette was cleverer than she and more successful in her dealings with the king. Perhaps her success was due to the fact that she did not share the blind admiration of her contemporaries for Louis XIV. The fragments of her *Mémoires* that have come down to us show a critical attitude towards him, and the work as a whole was evidently considered to be too outspoken for publication during his lifetime.

From 1653 to her death in 1693 Mme. de La Fayette was frequently ill [1] and the medical reports at her death show that she must have been in acute pain for many years. In spite of this she led a very active life, took a full share in social events and was keenly interested in politics; she was a good mother, actively engaged in furthering the interests of her sons, a good friend always ready to lend a helping hand, a keen business woman on the alert to protect the interests of her family and a successful writer during the greatest period of French literature.

II. The French Novel before

La Princesse de Clèves

The critics who delight in sorting XVIIth century novels into two heaps—the one marked "Idealistic," the other "Realistic"—always put La Princesse de Clèves tenderly on the first of these. The result is so very tidy. When the job is done there is no litter of any kind, for all novels will go on one or the other heap. But this process is as destructive of truth in literary history as the like process in the home is a foe to comfort. The XVIIth century novel is neither idealistic nor realistic but it is very frequently both, because life has these two aspects and all the novelists of the day were striving to portray the men and women around them. They even had their personal friends stroll across the stage they had set up.[2]

[1] See *Lettres de Marie-Madeleine Pioche de La Vergne, comtesse de La Fayette, et de Gilles Ménage,* Liverpool University Press, 1924, *passim.*

[2] Mme. de La Fayette recognized her friends in that ex-

Seventeenth century literature is essentially personal —differing from Romantic literature in this, that the romanticist is interested primarily in himself, the classicist in his neighbour. The so-called realistic novel in the XVIIth century treats certain neighbours going about their daily work; the so-called idealistic novel treats neighbours of a different social status and their particular problems.

And within the limits of the "idealistic" novel the classification "pastoral" or "heroic" is also misleading. It matters not whether the people appear disguised as shepherds, Romans, Greeks, Chinese, or Frenchmen of a former day—under these disguises they are French people of the XVIIth century, and the disguise was not intended to deceive and did not deceive the contemporary reader. It is easy to sneer at the five thousand pages of *L'Astrée,* to make fun of the overdressed shepherds and shepherdesses, of the beribboned sheep, of the scores of secondary stories, the fact remains that dignitaries of the church (and Bossuet among them) found it interesting and inspiring; La Fontaine, after all his experience of life, still read it; Boileau had to admit its charm; Mme. de Sévigné, the eminently reasonable Mme. de La Fayette, read it with pleasure; dramatic authors (Corneille among them) borrowed from it for a quarter of a century or more. Probably these people, who were nearer to d'Urfé than we are, could feel, in spite of all the disguises, episodes and meanderings, that he had put himself and his contemporaries into his book.

The same readers delighted in the novels of Mlle. de Scudéry that appear to us to be such a curious compound of ancient history, lessons in deportment, con-

tremely "idealistic" novel *Clélie.* See nos. xlvii and lxxiv of her letters to Ménage (Liverpool University Press).

temporary portraits and the casuistry of love. In *Le Grand Cyrus* and in *Clélie* we find contemporaries of the author, close personal friends, under disguises so slight that Parisian readers immediately recognized them. They seemed to have little to do in the story except to "walk on" and be recognized.

The first of these novels was in ten volumes and took four years to publish. *Clélie* also ran to ten volumes, issued over a period of six years. Again there is a flimsy main plot and innumerable "episodes." But through all this we may note a long and careful apprenticeship in describing the characters of people, in studying their actions and seeking their motives. The word "psychology" was not yet invented, but there is in these novels a real interest in the then nameless science and no little skill in it.

At this stage in the history of the novel there are critics who state as dogmatically as possible that before Mme. de La Fayette all stories were concerned with "jeunes premiers," and that the sole interest was "se marieront-ils ou ne se marieront-ils pas?" The next paragraph will begin somewhat as follows—speaking of *La Princesse de Clèves:* "Voici, pour la première fois, un livre qui expose un drame de la vie conjugale. . . ."

Authors less known than Mme. de La Fayette were also busy, and some of them in the late XVIth and early XVIIth centuries not only recognized the power of love to make or break a life's happiness but also—in spite of dogmatic statements to the contrary—recognized the pathos of a love awakening after the usual marriage of reason, when such love was a crime.[1]

Mme. de La Fayette was not the first to study the drama of conjugal life nor did she reduce the inter-

[1] See H. Ashton, *Mme. de La Fayette,* Cambridge University Press, 1922, pp. 154-5.

minable novels of her predecessors to normal size. She did develop the short story according to principles discussed in her own circle. The evolution of this form in the course of her own life and at her hands will be dealt with in another section of this Introduction. Because of her character and of her lack of exuberant imagination she relied more on history than her predecessors had done. It should not be forgotten, however, that the *romance* of the novel has not yet been traced to its sources as has the historical part. All we know of the novel and short story of the period leads us to believe that much contemporary history and perhaps many contemporary characters are hidden away under these seemingly romanesque inventions.

III. The Unity of Mme. de La Fayette's Work

There is a curious unity in the work of Mme. de La Fayette for, with the exception of a novel, *Zaïde,* written in collaboration with others, all her work treats the same problem. This is so firmly impressed on her mind that it probably came from her personal experience and was not the result of reading or discussion. Her first story, *La Princesse de Montpensier,* deals with the situation of a woman who has found love after marriage—and for a man who is not her husband. Her last novel, *La Princesse de Clèves,* deals at greater length with a similar case.

The marriage of Mlle. de La Vergne and M. de La Fayette was arranged so rapidly that it called forth comment even in those days of unromantic weddings. La Fayette was older than his wife and he took her from the brilliant society of Paris to the dull monotony of a castle in Bourbonnais. A year after the marriage Mme. de La Fayette admits, in a letter to Ménage, that

she has a "belle sympathie" for the brilliant Duke de
La Rochefoucauld. At that time he was in love with
Mme. de Sablé but, in 1662 (date of publication of
La Princesse de Montpensier) this affair was definitely
closed, for in that year she made her General Confession
at Port-Royal and henceforth lived within the bounds
of the convent. Between 1655 and 1662 Mme. de La
Fayette's friends noticed, or thought they noticed,
enough "belle sympathie" between her and La Rochefoucauld to justify them in teasing her a little.

This experience may have suggested the problem as
a possible basis for a story. It was brought to her attention in other ways during these years. From 1660
she was lady-in-waiting to Henrietta, daughter of
Charles I of England, and wife of the Duke of Orleans, brother of Louis XIV. Henrietta was not very
happy and she was very indiscreet. Mme. de La Fayette may have observed the efforts of Count de Guiche
to win Madame's love and must have known of the
domestic quarrels that led finally to the exile of Guiche
in 1665.

The story, *La Princesse de Montpensier* (1662), may
be Mme. de La Fayette's version of the affair as she
knew it then. Shortly after 1665 she came to know it in
greater detail, for Madame asked her to write the history from information supplied by her. This version appeared after the death of Mme. de La Fayette under the
title: *Histoire de Mme. Henriette d'Angleterre*. As the
story begins with Mme. de La Fayette's first acquaintance with the young princess and ends with the depar-
ture of Guiche, it might well be called *The Love Story
of Madame Henriette*.

Before this version of the problem had had time to
fade from her memory Mme. de La Fayette had another case to study. Françoise de Sévigné, daughter

of Mme. de La Fayette's most intimate friend, married in 1669, at the age of twenty-two, Count de Grignan, aged forty, Françoise was Grignan's third wife. The Count had a younger brother, who was known as the Chevalier de Grignan, and who was the type of the handsome hero of the XVIIth century novel. Françoise de Sévigné was one of the prettiest women of her day, and the Chevalier was much attracted by the beauty of his new sister-in-law. Just as Nemours's accident, when riding the untrained horse in the lists, caused the Princess of Clèves to betray her anxiety on his behalf, so a fall of the Chevalier de Grignan from his horse caused Françoise to faint and gave rise to much talk and even to a popular song. Two years later the Chevalier died and it was discovered that Françoise was sole heiress to his estate. It is not unreasonable to suppose that the scandal grieved Mme. de Sévigné and that she would talk of her troubles with her best friend.

The Chevalier de Grignan died in 1672, and in 1678 appeared *La Princesse de Clèves*. Mme. de La Fayette's experience of life would appear therefore to have been such as to bring forcibly to her mind on several occasions the importance of the situation she so deftly handles in her great novel. *La Comtesse de Tende,* published long after her death, returns to the subject, but the treatment of it in this story is such that it is hard to believe it was written after *La Princesse de Clèves*. It was, in all probability, an early attempt to work up in fiction the results of her observation of life.

It would appear, therefore, that instead of consciously setting herself to reduce the novel of her day to reasonable limits Mme. de La Fayette began by giving expression, in a short story, to a problem that was uppermost in her mind; she treated it again, at greater length, as a story from real life, and finally in the form of fiction *La Princesse de Clèves* evolved naturally—a lengthened short story, or *Mémoires* with fictitious names, or, if a shorter novel than was usual, then a novel that had forgotten its predecessors because it had come into being as a result of real experience.

IV. *LA PRINCESSE DE CLÈVES*

1. Sources and Method [1]

Among the champions of verisimilitude in the XVIIth century discussions on the question "whether a story should be *vrai* or *vraisemblable*" was Segrais, a protégé of Mme. de La Fayette's, and she must have taken an active part in such discussions. One of the principles laid down by Segrais and his group was that history, preferably modern French history, might well form the background of a story. It is quite natural, therefore, for Mme. de La Fayette to seek an historical setting for her psychological studies, and we now know that she took this part of her work very seriously and collected much material on the period she had chosen for *La Princesse de Clèves*. The statement that she really wrote a novel of the court of Louis XIV, using the names of people at the court of Henri II, is misleading. Mme. de La Fayette followed fairly closely the historical accounts at her disposal but she presented the materials so gathered in a form attractive to her contemporaries. If she missed the spirit of the times she portrayed, it was rather because they were too near to her to be seen in real perspective and because few of

[1] See the articles by Professors Chamard and Rudler mentioned in the Bibliography.

the people for whom she was writing understood them any better than she did herself. She has been criticized for presenting a XVIth century society that was too refined and too polite. Her contemporaries spoke with regret of the "good old days," and imagined that they were a time of stately courtesy and great refinement while the youth of the rising generation showed a lack of these qualities that made one wonder what they would do next. Dear old people of this type are still with us and the burden of their lay is much the same.

Mme. de La Fayette certainly neglects two great forces in her picture of the times—the Renaissance and the Reformation. The reasons for the neglect of the latter are obvious. The former was not as easy to evaluate then as it is now, and Mme. de La Fayette was discussing people who were little affected by it. Her passing reference to the *Heptameron* of the Queen of Navarre is her own, and is interpolated in a passage she was copying, almost word for word, from an historian who made no mention of the Queen's literary talents. Her treatment of the documents she used is accounted for by her sex, by the refined literary tastes of her particular circle of friends, and by her own character.

She sees no reason, being a woman, to reproduce the crudity of Brantôme, and the most striking omissions from her text are due to this and to her knowledge that she would have the complete approval of her friends.

She thinks clearly herself, expresses herself tersely, and is somewhat impatient with people who are prolix. When she deals with Brantôme and the historians whose works she consulted her chief task is to state clearly, in as few words as possible, their rather rambling accounts of events.

But, being a woman, she gladly makes one exception to her rule of abridging—she dearly loves a ceremony and she dearly loves magnificence of dress. In *La Princesse de Clèves* the ceremonies receive a full share of attention, and details of sumptuous apparel are carefully noted.

Finally, being a woman and a woman of the court of Louis XIV, she likes love intrigues and will gladly turn aside to tell the story of Diane de Poitiers or of the rise and fall of Anne Boleyn.

The collecting of historical material was, however, only part of her task. She had a story of her own to tell, a psychological problem to solve, and this had to be done within the narrow limits she had set herself, for the events actually recorded take place in a little over a year. Within this space of time history and story must progress together without the one interfering unduly with the other.

At first, Mme. de La Fayette marks her dates very conscientiously, but in the latter part of the novel she leaves the chronology to take care of itself. Even in the early part she makes the dates fit her story. This may occasion the death of an historical character a few years before his time; it may have the marriage of Count d'Eu take place in 1558 instead of in 1561. The contemporary dramatists exercised the same privilege and their example has been followed by French writers down to Rostand, who treats XVIIth century history in exactly the same way in *Cyrano de Bergerac*.

On the whole, the history and the story are very cleverly combined in *La Princesse de Clèves,* the former frequently supplying the events that permit great strides to be made in the progress of the love of the Princess of Clèves.

2. The Characters

And this, after all, is the important part of the novel. The early historical portion is hard reading—the pauses to pick up the thread of the historical events of this critical year in the life of the Princess of Clèves often find us much less interested in knowing what the real historical characters did than in the fate of the one fictitious person in the book—the Princess of Clèves.

Beautiful and blond, she is a shadowy figure indeed and very hard to conjure up before the mind's eye—but after a careful reading of the novel how well we know her! The well-poised mind that hates a "scene," and is apt, even in moments of mental anguish, to ask that the conventions be observed; the pride that becomes so inextricably mixed with moral principles and the desire to do one's duty; the perspicacity that weighs Nemours and finds him wanting, and that joins to the Cornelian love of duty the Racinian comprehension of the human heart; the practical common-sense that concludes finally not merely to carry out the promise tacitly given to the Prince of Clèves on his deathbed—but also to ensure one's peace of mind by not expecting a faithless lover to be other than a faithless husband. "En quels termes galants ces choses-là sont mises!" What restraint in language, what care not to shock Mrs. Grundy—or her French equivalent—what a real comprehension of the fact that it may be well to call a spade a spade in a garden but that in a drawing-room it is better not to talk about it at all! Yet, in spite of all this refinement, how the frankness, the loyalty of this wife who has a lover shine through on every occasion, lead her past pitfalls from which escape seems impossible, make possible, even probable, the open confession to her husband, and guard her to the end against

the wiles of Nemours! For Nemours, of course, is a cad.
Mme. de La Fayette knew it and did not make him the
hero of the novel. The hero is the Prince of Clèves,
whose character rises higher and higher throughout the
story until—human, and therefore weak—he spies on
his wife, believes carelessly-gathered circumstantial evidence instead of the steady voice and clear eyes of his
princess, and pays the penalty in that moral commotion
that is too strong for his body and brings him to his
death. Clèves is the type of the "honnête homme" of
the XVIIth century.

Nemours is always too well aware that his "gloire"
will be enhanced by gaining the love of the Princess of
Clèves, who everyone believes is unattainable. He is
convinced that to rob a husband of a treasured portrait
of his wife is no crime, that it is fair to throw upon the
husband the blame of having revealed his wife's confession when it is his own careless chatter that has be-
trayed her. Eavesdropping is not beneath him; prowling
all night round the home of his lady with no care
for her fair name shows lack of thoughtfulness on his
part—perhaps lack of real love. He is sufficiently handsome, skilful and clever to be able to make the Princess
love him—but sufficiently fickle, vain and thoughtless
to prevent her marrying him and living unhappy ever
after.

Mme. de Chartres performs her duty as a mother according to the ideas of her day and is even in advance
of her time in the way she educates her daughter and
tries to be a friend as well as a mother. The prime
tragedy is a direct result of her choice of a husband
for her daughter, but no one in her time thought that
a marriage could be arranged in any other way. She
is rather harsh in the few days preceding her death and
yet we like her—perhaps because we, as readers, have

much to forgive, for she it was who told the long story about Mme. de Valentinois and the intrigues at court.

The reader will note with what care the slightest indications of the progress of Mme. de Clèves's love are recorded, how from time to time the Princess herself indulges in moral stocktaking, how Nemours increases in boldness and marks her weakening defence, how after the great upheaval caused by her husband's death she faces the situation, frankly admits her love and lays down a line of conduct from which she never deviates. *La Princesse de Clèves* cannot be read rapidly. It is a marvel of compression, and careful reading and re-reading are necessary if it is to be appreciated as it deserves to be.

3. NOVELTY AND STYLE

While the notes to this edition are concerned chiefly with calling the reader's attention to words in the text that have meanings no longer current, he should not lose sight of the fact that *La Princesse de Clèves* was very up-to-date indeed at the time of its publication. There are many expressions in the story that were new and fashionable at the time and the very limited vocabulary, the avoidance of words that appeared crude to the nice tastes of the ladies, was a direct result of the contemporary efforts to refine the vocabulary.

The style of this novel shows the state of the French language after the reforming efforts of the *précieuses* and of the *Académie française*. The poetry and the picturesqueness have disappeared; numbers of words have been eliminated in an effort to ennoble the style; the vocabulary is limited and the language generally impoverished. On the other hand, there is a gain in precision; the exact meaning of the word is defined and the language has gained in clearness. The final result of the efforts of the XVIIth century reformers as exemplified by the style of *La Princesse de Clèves* was to make the French language clear and exact so that, nowadays, when treaties are drawn up in more than one language it is generally noted that, in case of dispute as to the meaning of a clause, the French version shall be taken as authoritative. If some of the recent French novelists had studied carefully the methods of Mme. de La Fayette their novels would be easier to read, their analysis of character clearer and their books much less bulky.

4. INFLUENCE

The four parts of *La Princesse de Clèves* were issued by Claude Barbin in four duodecimo volumes of 210 to 214 pages each. They appeared in 1678 and were on sale "au Palais [de Justice] sur le second perron de la Sainte Chapelle."

Mme. de La Fayette states, in a letter to Lescheraine, that the novel caused much discussion. While disclaiming any share in its composition—*La Princesse de Clèves* was published anonymously [1]—she informs him that it is not really a novel but *Mémoires,* and that this was the title originally given to the book by its author.

It is this particular aspect of the work that was seized upon by the disciples and imitators of Mme. de La Fayette. Henceforth the aim in novel-writing was not to present real people in a highly improbable setting but to convince the reader from the outset that the whole story—characters and incidents—was true.

[1] See H. Ashton, *L'Anonymat des œuvres de Mme. de La Fayette, Revue d'hist. litt. de la France,* 1914.

This called for a careful choice of material because it was not enough to chronicle things that had actually happened. Truth is sometimes stranger than fiction and, in these cases, unconvincing. Such truth must either be omitted or adapted until it *seems* true. The aim was not truth but verisimilitude. Most of the stories written directly under the influence of *La Princesse de Clèves* —and there were many such—appeared in the guise of *Mémoires,* and from this time onwards the principles of Mme. de La Fayette, Segrais and their group appear to have been accepted without question. Verisimilitude calls for more careful character-drawing, for the omission of the romanesque and for the abandoning of high-flown sentiments and over-ornate style. Mme. de La Fayette's achievement was that of bringing the novel into the realms of commonsense and reason.

H. ASHTON.

BIOGRAPHICAL AND CRITICAL STUDIES

1. Ashton, H. *Madame de la Fayette, sa vie et ses œuvres.* Cambridge University Press, 1922, 1 vol. 8°.
2. Beaunier, André. (i) *La jeunesse de Madame de La Fayette.* Paris, 1921.
   (ii) *L'amie de La Rochefoucauld.* Paris, 1927. 1 vol.
3. Bordeaux, Henri. *Les amants d'Annecy—Anne d'Este et Jacques de Nemours.* Paris, 1921.
   To be read in conjunction with No. 10.
4. Chamard, H. and Rudler, G. Articles in *La Revue du Seizième Siècle.*
   (i) *Les Sources historiques de La Princesse de Clèves.* 1914, pp. 92-131.
   (ii) *Idem. Les épisodes historiques.* 1914, pp. 289-321.
   (iii) *La couleur historique dans La Princesse de Clèves.* 1917-18, pp. 1-20.
   (iv) *L'histoire et la fiction dans La Princesse de Clèves.* 1917-18, pp. 231-243.
5. Charmes, l'abbé de. *Conversations sur la critique de La Princesse de Clèves.* Paris, 1678. 12°. A reply to No. 11.
6. Haussonville, le comte d'. *Madame de La Fayette.* Paris, 1891.
7. Henriot, Emile. (i) *Mme de La Fayette et Madame Revue Hebdomadaire,* 3 Jan. 1925.
   ————, (ii) *Ménage et Mme de La Fayette. Le Temps.* 10 Aug. 1926.
   ————, (iii) *L'Histoire de Mme Henriette d'Angleterre est-elle de Mme de La Fayette? Le Temps.* 16 Mar. 1926.
8. Joran, Th. *La princesse de Clèves ou une pseudo-héroïne de la piété conjugale. Revue Bleue.* 1925, p. 510.
9. Magne, Emile. (i) *Mme de La Fayette en ménage.* Paris, 1926.
   ————, (ii) *Le cœur et l'esprit de Mme de La Fayette,* Paris, 1927.
   Complete and correct the Biography in No. 1, above.
   Contain much new material.

10. Poizat, Valentine. *La véritable Princesse de Clèves.* Paris, 1920.

11. Valincour, Henri du Trousset de. *Lettre à la marquise de * * * sur le sujet de La Princesse de Clèves.* Paris, 1678. 12°. Reprinted Paris (Bossard) 1926.

12. Viollis, Mme. *La vraie Mme de La Fayette,* Paris, 1926.

TEXT

La Fayette, Mme de. *La Princesse de Clèves.* Intro. and notes by H. Ashton. Cambridge University Press, 1925.

LA PRINCESSE DE CLÈVES

LA PRINCESSE DE CLÈVES

PREMIÈRE PARTIE

"good old days"

La magnificence et la galanterie n'ont jamais paru
en France avec tant d'éclat que dans les dernières
années du règne de Henri second. Ce prince étoit galant,
bien fait et amoureux: quoique sa passion pour Diane
de Poitiers, duchesse de Valentinois, eût commencé il
y avoit plus de vingt ans, elle n'en étoit pas moins
violente, et il n'en donnoit pas des témoignages moins
éclatants.

Comme il réussissoit admirablement dans tous les
exercices du corps, il en faisoit une de ses plus grandes
occupations: c'étoient tous les jours des parties de chasse
et de paume, des ballets, des courses de bagues, ou de
semblables divertissements; les couleurs et les chiffres
de madame de Valentinois paroissoient partout, et elle
paroissoit elle-même avec tous les ajustements que pouvoit avoir mademoiselle de la Marck, sa petite-fille, qui
étoit alors à marier.

La présence de la reine autorisoit la sienne. Cette
princesse étoit belle, quoiqu'elle eût passé la première
jeunesse; elle aimoit la grandeur, la magnificence et
les plaisirs. Le roi l'avoit épousée, lorsqu'il étoit encore
duc d'Orléans, et qu'il avoit pour aîné le dauphin, qui
mourut à Tournon, prince que sa naissance et ses grandes
qualités destinoient à remplir dignement la place du
roi François Ier, son père.

L'humeur ambitieuse de la reine lui faisoit trouver
une grande douceur à régner: il sembloit qu'elle souffrît
sans peine l'attachement du roi pour la duchesse de

Valentinois, et elle n'en témoignoit aucune jalousie; mais elle avoit une si profonde dissimulation, qu'il étoit difficile de juger de ses sentiments; et la politique l'obligeoit d'approcher cette duchesse de sa personne, afin d'en approcher aussi le roi. Ce prince aimoit le commerce des femmes, même de celles dont il n'étoit pas amoureux: il demeuroit tous les jours chez la reine à l'heure du cercle, où tout ce qu'il y avoit de plus beau et de mieux fait, de l'un et de l'autre sexe, ne manquoit pas de se trouver.

Jamais cour n'a eu tant de belles personnes et d'hommes admirablement bien faits; et il sembloit que la nature eût pris plaisir à placer ce qu'elle donne de plus beau, dans les plus grandes princesses et dans les plus grands princes. Madame Élisabeth de France, qui fut depuis reine d'Espagne, commençoit à faire paroître un esprit surprenant et cette incomparable beauté qui lui a été si funeste. Marie Stuart, reine d'Écosse, qui venoit d'épouser monsieur le dauphin, et qu'on appeloit la reine dauphine, étoit une personne parfaite pour l'esprit et pour le corps: elle avoit été élevée à la cour de France, elle en avoit pris toute la politesse, et elle étoit née avec tant de disposition pour toutes les belles choses, que, malgré sa grande jeunesse, elle les aimoit, et s'y connoissoit mieux que personne. La reine sa belle-mère, et Madame, sœur du roi, aimoient aussi les vers, la comédie et la musique: le goût que le roi François Ier avoit eu pour la poésie et pour les lettres régnoit encore en France; et le roi, son fils, aimant les exercices du corps, tous les plaisirs étoient à la cour. Mais ce qui rendoit cette cour belle et majestueuse, étoit le nombre infini de princes et de grands seigneurs d'un mérite extraordinaire. Ceux que je vais nommer étoient, en des manières différentes, l'ornement et l'admiration de leur siècle.

Le roi de Navarre attiroit le respect de tout le monde par la grandeur de son rang, et par celle qui paroissoit en sa personne. Il excelloit dans la guerre, et le duc de Guise lui donnoit une émulation qui l'avoit porté plusieurs fois à quitter sa place de général, pour aller combattre auprès de lui, comme un simple soldat, dans les lieux les plus périlleux. Il est vrai aussi que ce duc avoit donné des marques d'une valeur si admirable, et avoit eu de si heureux succès, qu'il n'y avoit point de grand capitaine qui ne dût le regarder avec envie. Sa valeur étoit soutenue de toutes les autres grandes qualités : il avoit un esprit vaste et profond, une âme noble et élevée, et une égale capacité pour la guerre et pour les affaires. Le cardinal de Lorraine, son frère, étoit né avec une ambition démesurée, avec un esprit vif et une éloquence admirable, et il avoit acquis une science profonde, dont il se servoit pour se rendre considérable, en défendant la religion catholique qui commençoit d'être attaquée. Le chevalier de Guise, que l'on appela depuis le grand prieur, étoit un prince aimé de tout le monde, bien fait, plein d'esprit, plein d'adresse, et d'une valeur célèbre par toute l'Europe. Le prince de Condé, dans un petit corps peu favorisé de la nature, avoit une âme grande et hautaine, et un esprit qui le rendoit aimable aux yeux même des plus belles femmes. Le duc de Nevers, dont la vie étoit glorieuse par la guerre et par les grands emplois qu'il avoit eus, quoique dans un âge un peu avancé, faisoit les délices de la cour. Il avoit trois fils parfaitement bien faits : le second, qu'on appeloit le prince de Clèves, étoit digne de soutenir la gloire de son nom ; il étoit brave et magnifique, et il avoit une prudence qui ne se trouve guère avec la jeunesse. Le vidame de Chartres, descendu de cette ancienne maison de Vendôme, dont les princes du sang n'ont point dédaigné de porter le nom,

étoit également distingué dans la guerre et dans la
galanterie. Il étoit beau, de bonne mine, vaillant, hardi,
libéral: toutes ces bonnes qualités étoient vives et écla-
tantes; enfin, il étoit seul digne d'être comparé au
duc de Nemours, si quelqu'un lui eût pu être comparable;
mais ce prince étoit un chef-d'œuvre de la nature; ce
qu'il avoit de moins admirable étoit d'être l'homme du
monde le mieux fait et le plus beau. Ce qui le mettoit
au-dessus des autres, étoit une valeur incomparable, et
un agrément dans son esprit, dans son visage, et dans
ses actions, que l'on n'a jamais vu qu'à lui seul: il
avoit un enjouement qui plaisoit également aux hommes
et aux femmes, une adresse extraordinaire dans tous
ses exercices, une manière de s'habiller qui étoit toujours suivie de tout le monde, sans pouvoir être imitée,
et, enfin, un air dans toute sa personne qui faisoit
qu'on ne pouvoit regarder que lui dans tous les lieux
où il paroissoit. Il n'y avoit aucune dame, dans la cour,
dont la gloire n'eût été flattée de le voir attaché à
elle; peu de celles à qui il s'étoit attaché pouvoient se
vanter de lui avoir résisté; et même plusieurs à qui il
n'avoit point témoigné de passion, n'avoient pas laissé
d'en avoir pour lui. Il avoit tant de douceur et tant de
disposition à la galanterie, qu'il ne pouvoit refuser
quelques soins à celles qui tâchoient de lui plaire: ainsi
il avoit plusieurs maîtresses; mais il étoit difficile de
deviner celle qu'il aimoit véritablement. Il alloit souvent
chez la reine dauphine: la beauté de cette princesse, sa
douceur, le soin qu'elle avoit de plaire à tout le monde,
et l'estime particulière qu'elle témoignoit à ce prince,
avoient souvent donné lieu de croire qu'il levoit les
yeux jusqu'à elle. Messieurs de Guise, dont elle étoit
nièce, avoient beaucoup augmenté leur crédit et leur
considération par son mariage; leur ambition les faisoit
aspirer à s'égaler aux princes du sang, et à partager le

pouvoir du connétable de Montmorency. Le roi se
reposoit sur lui de la plus grande partie du gouvernement des affaires, et traitoit le duc de Guise et le maréchal de Saint-André comme ses favoris ; mais ceux que
la faveur ou les affaires approchoient de sa personne,
ne s'y pouvoient maintenir qu'en se soumettant à la
duchesse de Valentinois ; et, quoiqu'elle n'eût plus de
jeunesse ni de beauté, elle le gouvernoit avec un empire
si absolu, que l'on peut dire qu'elle étoit maîtresse de
sa personne et de l'État.

Le roi avoit toujours aimé le connétable, et, sitôt
qu'il avoit commencé à régner, il l'avoit rappelé de l'exil
où le roi François Ier l'avoit envoyé. La cour étoit partagée entre messieurs de Guise et le connétable qui étoit
soutenu des princes du sang. L'un et l'autre parti avoit
toujours songé à gagner la duchesse de Valentinois.
Le duc d'Aumale, frère du duc de Guise, avoit épousé
une de ses filles : le connétable aspiroit à la même alliance. Il ne se contentoit pas d'avoir marié son fils
aîné avec madame Diane, fille du roi et d'une dame
de Piémont qui se fit religieuse aussitôt qu'elle fut ac-
couchée. Ce mariage avoit eu beaucoup d'obstacles, par
les promesses que monsieur de Montmorency avoit
faites à mademoiselle de Piennes, une des filles d'honneur de la reine ; et, bien que le roi les eût surmontés
avec une patience et une bonté extrême, ce connétable
ne se trouvoit pas encore assez appuyé, s'il ne s'assuroit
de madame de Valentinois, et s'il ne la séparoit de
messieurs de Guise, dont la grandeur commençoit à
donner de l'inquiétude à cette duchesse. Elle avoit re-
tardé, autant qu'elle avoit pu, le mariage du dauphin
avec la reine d'Écosse : la beauté et l'esprit capable et
avancé de cette jeune reine, et l'élévation que ce mariage
donnoit à messieurs de Guise, lui étoient insupportables.
Elle haïssoit particulièrement le cardinal de Lorraine ;

il lui avoit parlé avec aigreur, et même avec mépris.
Elle voyoit qu'il prenoit des liaisons avec la reine; de
sorte que le connétable la trouva disposée à s'unir avec
lui, et à entrer dans son alliance, par le mariage de
mademoiselle de la Marck, sa petite-fille, avec monsieur
d'Anville, son second fils, qui succéda depuis à sa
charge sous le règne de Charles IX. Le connétable ne
crut pas trouver d'obstacles dans l'esprit de monsieur
d'Anville pour un mariage, comme il en avoit trouvé
dans l'esprit de monsieur de Montmorency; mais, quoique les raisons lui en fussent cachées, les difficultés,
n'en furent guère moindres. Monsieur d'Anville étoit
éperdument amoureux de la reine dauphine; et, quelque
peu d'espérance qu'il eût dans cette passion, il ne
pouvoit se résoudre à prendre un engagement qui par-
tageroit ses soins. Le maréchal de Saint-André étoit
le seul dans la cour qui n'eût point pris de parti: il
étoit un des favoris, et sa faveur ne tenoit qu'à sa personne: le roi l'avoit aimé dès le temps qu'il étoit
dauphin; et, depuis, il l'avoit fait maréchal de France,
dans un âge où l'on n'a pas encore accoutumé de prétendre aux moindres dignités. Sa faveur lui donnoit un
éclat qu'il soutenoit par son mérite et par l'agrément
de sa personne, par une grande délicatesse pour sa table
et pour ses meubles, et par la plus grande magnificence
qu'on eût jamais vue en un particulier. La libéralité
du roi fournissoit à cette dépense: ce prince alloit
jusqu'à la prodigalité pour ceux qu'il aimoit: il n'avoit
pas toutes les grandes qualités; mais il en avoit plusieurs, et surtout celle d'aimer la guerre, et de l'entendre; aussi avoit-il eu d'heureux succès; et, si on en
excepte la bataille de Saint-Quentin, son règne n'avoit
été qu'une suite de victoires. Il avoit gagné, en personne, la bataille de Renty: le Piémont avoit été con-
quis; les Anglois avoient été chassés de France, et

l'empereur Charles-Quint avoit vu finir sa bonne fortune devant la ville de Metz, qu'il avoit assiégée inutilement avec toutes les forces de l'Empire et de l'Espagne. Néanmoins, comme le malheur de Saint-Quentin avoit diminué l'espérance de nos conquêtes, et que, depuis, la fortune avoit semblé se partager entre les deux rois, ils se trouvèrent insensiblement disposés à la paix.

La duchesse douairière de Lorraine avoit commencé à en faire des propositions dans le temps du mariage de monsieur le dauphin; il y avoit toujours eu depuis quelque négociation secrète. Enfin, Cercamp, dans le pays d'Artois, fut choisi pour le lieu où l'on devoit s'assembler. Le cardinal de Lorraine, le connétable de Montmorency et le maréchal de Saint-André s'y trouvèrent pour le roi: le duc d'Albe et le prince d'Orange, pour Philippe II; et le duc et la duchesse de Lorraine furent les médiateurs. Les principaux articles étoient le mariage de madame Élisabeth de France avec Don Carlos, infant d'Espagne, et celui de Madame, sœur du roi, avec monsieur de Savoie.

Le roi demeura cependant sur la frontière, et il y reçut la nouvelle de la mort de Marie, reine d'Angleterre. Il envoya le comte de Randan à Élisabeth, pour la complimenter sur son avènement à la couronne; elle le reçut avec joie; ses droits étoient si mal établis, qu'il lui étoit avantageux de se voir reconnue par le roi. Ce comte la trouva instruite des intérêts de la cour de France, et du mérite de ceux qui la composoient; mais surtout il la trouva fort remplie de la réputation du duc de Nemours. Elle lui parla tant de fois de ce prince, et avec tant d'empressement, que, quand monsieur de Randan fut revenu, et qu'il rendit compte au roi de son voyage, il lui dit qu'il n'y avoit rien que monsieur de Nemours ne pût prétendre auprès de cette princesse, et qu'il ne doutoit point qu'elle ne fût capable

de l'épouser. Le roi en parla à ce prince dès le soir
même; il lui fit conter par monsieur de Randan toutes
ses conversations avec Élisabeth, et lui conseilla de
tenter cette grande fortune. Monsieur de Nemours crut
d'abord que le roi ne lui parloit pas sérieusement; mais,
comme il vit le contraire: Au moins, sire, lui dit-il, si
je m'embarque dans une entreprise chimérique, par le
conseil et pour le service de Votre Majesté, je la
supplie de me garder le secret, jusqu'à ce que le succès me justifie vers le public, et de vouloir bien ne pas
me faire paroître rempli d'une assez grande vanité,
pour prétendre qu'une reine, qui ne m'a jamais vu, me
veuille épouser par amour. Le roi lui promit de ne
parler qu'au connétable de ce dessein, et il jugea même
le secret nécessaire pour le succès. Monsieur de Randan
conseilloit à monsieur de Nemours d'aller en Angleterre
sur le simple prétexte de voyager; mais ce prince ne
put s'y résoudre. Il envoya Lignerolles qui étoit un jeune
homme d'esprit, son favori, pour voir les sentiments de
la reine, et pour tâcher de commencer quelque liaison.
En attendant l'événement de ce voyage, il alla voir le
duc de Savoie, qui étoit alors à Bruxelles avec le roi
d'Espagne. La mort de Marie d'Angleterre apporta de
grands obstacles à la paix; l'assemblée se rompit à la
fin de novembre, et le roi revint à Paris.

Il parut alors une beauté à la cour qui attira les yeux
de tout le monde, et l'on doit croire que c'étoit une
beauté parfaite, puisqu'elle donna de l'admiration dans
un lieu où l'on étoit si accoutumé à voir de belles personnes. Elle étoit de la même maison que le vidame de
Chartres, et une des plus grandes héritières de France.
Son père étoit mort jeune, et l'avoit laissée sous la
conduite de madame de Chartres, sa femme, dont le
bien, la vertu et le mérite étoient extraordinaires. Après
avoir perdu son mari, elle avoit passé plusieurs années

sans revenir à la cour. Pendant cette absence, elle avoit
donné ses soins à l'éducation de sa fille; mais elle ne
travailla pas seulement à cultiver son esprit et sa beauté;
elle songea aussi à lui donner de la vertu et à la lui
rendre aimable. La plupart des mères s'imaginent qu'il
suffit de ne parler jamais de galanterie devant les
jeunes personnes pour les en éloigner. Madame de Chartres avoit une opinion opposée; elle faisoit souvent à sa
fille des peintures de l'amour; elle lui montroit ce
qu'il a d'agréable pour la persuader plus aisément sur
ce qu'elle lui en apprenoit de dangereux; elle lui contoit le peu de sincérité des hommes, leurs tromperies
et leur infidélité, les malheurs domestiques où plongent
les engagements; et elle lui faisoit voir, d'un autre côté,
quelle tranquillité suivoit la vie d'une honnête femme, et
combien la vertu donnoit d'éclat et d'élévation à une
personne qui avoit de la beauté et de la naissance; mais
elle lui faisoit voir aussi combien il étoit difficile de
conserver cette vertu que par une extrême défiance de
soi-même, et par un grand soin de s'attacher à ce qui
seul peut faire le bonheur d'une femme, qui est d'aimer
son mari, et d'en être aimée.

Cette héritière étoit alors un des grands partis qu'il
y eût en France, et, quoiqu'elle fût dans une extrême
jeunesse, l'on avoit déjà proposé plusieurs mariages.
Madame de Chartres, qui étoit extrêmement glorieuse, ne
trouvoit presque rien digne de sa fille: la voyant dans
sa seizième année, elle voulut la mener à la cour.
Lorsqu'elle arriva, le vidame alla au-devant d'elle: il
fut surpris de la grande beauté de mademoiselle de
Chartres, et il en fut surpris avec raison. La blancheur
de son teint et ses cheveux blonds lui donnoient un
éclat que l'on n'a jamais vu qu'à elle; tous ses traits
étoient réguliers, et son visage et sa personne étoient
pleins de grâce et de charme.

Le lendemain qu'elle fut arrivée, elle alla pour assortir des pierreries chez un Italien qui en trafiquoit par tout le monde. Cet homme étoit venu de Florence avec la reine, et s'étoit tellement enrichi dans son trafic, que sa maison paroissoit plutôt celle d'un grand seigneur que d'un marchand. Comme elle y étoit, le prince de Clèves y arriva. Il fut tellement surpris de sa beauté, qu'il ne put cacher sa surprise; et mademoiselle de Chartres ne put s'empêcher de rougir en voyant l'étonnement qu'elle lui avoit donné: elle se remit néanmoins, sans témoigner d'autre attention aux actions de ce prince que celle que la civilité lui devoit donner pour un homme tel qu'il paroissoit. Monsieur de Clèves la regardoit avec admiration, et il ne pouvoit comprendre qui étoit cette belle personne qu'il ne connoissoit point. Il voyoit bien, par son air, et par tout ce qui étoit à sa suite, qu'elle devoit être d'une grande qualité. Sa jeunesse lui faisoit croire que c'étoit une fille; mais, ne lui voyant point de mère, et l'Italien, qui ne la connoissoit point, l'appelant madame, il ne savoit que penser, et il la regardoit toujours avec étonnement. Il s'aperçut que ses regards l'embarrassoient, contre l'ordinaire des jeunes personnes qui voient toujours avec plaisir l'effet de leur beauté: il lui parut même qu'il étoit cause qu'elle avoit de l'impatience de s'en aller, et, en effet, elle sortit assez promptement. Monsieur de Clèves se consola de la perdre de vue, dans l'espérance de savoir qui elle étoit; mais il fut bien surpris quand il sut qu'on ne la connoissoit point: il demeura si touché de sa beauté, et de l'air modeste qu'il avoit remarqué dans ses actions, qu'on peut dire qu'il conçut pour elle, dès ce moment, une passion et une estime extraordinaires: il alla le soir chez Madame, sœur du roi.

Cette princesse étoit dans une grande considération, par le crédit qu'elle avoit sur le roi, son frère, et ce crédit étoit si grand, que le roi, en faisant la paix, consentoit à rendre le Piémont, pour lui faire épouser le duc de Savoie. Quoiqu'elle eût désiré toute sa vie de se marier, elle n'avoit jamais voulu épouser qu'un souverain, et elle avoit refusé, pour cette raison, le roi de Navarre, lorsqu'il étoit duc de Vendôme, et avoit toujours souhaité monsieur de Savoie; elle avoit conservé de l'inclination pour lui depuis qu'elle l'avoit vu à Nice, à l'entrevue du roi François Ier et du pape Paul III. Comme elle avoit beaucoup d'esprit, et un grand discernement pour les belles choses, elle attiroit tous les honnêtes gens, et il y avoit de certaines heures où toute la cour étoit chez elle.

Monsieur de Clèves y vint comme à l'ordinaire: il étoit si rempli de l'esprit et de la beauté de mademoiselle de Chartres, qu'il ne pouvoit parler d'autre chose. Il conta tout haut son aventure, et ne pouvoit se lasser de donner des louanges à cette personne qu'il avoit vue, qu'il ne connoissoit point. Madame lui dit qu'il n'y avoit point de personne comme celle qu'il dépeignoit, et que, s'il y en avoit quelqu'une, elle seroit connue de tout le monde. Madame de Dampierre, qui étoit sa dame d'honneur, et amie de madame de Chartres, entendant cette conversation, s'approcha de cette princesse, et lui dit tout bas que c'étoit sans doute mademoiselle de Chartres que monsieur de Clèves avoit vue. Madame se retourna vers lui, et lui dit que, s'il vouloit revenir chez elle le lendemain, elle lui feroit voir cette beauté dont il étoit si touché. Mademoiselle de Chartres parut en effet le jour suivant; elle fut reçue des reines avec tous les agréments qu'on peut s'imaginer, et avec une telle admiration de tout le monde, qu'elle n'entendoit autour d'elle que des louanges. Elle les recevoit avec une modestie si noble, qu'il ne sembloit pas qu'elle les entendît, ou du moins quelle en fût touchée. Elle alla ensuite chez

Madame, sœur du roi. Cette princesse, après avoir loué
sa beauté, lui conta l'étonnement qu'elle avoit donné à
monsieur de Clèves. Ce prince entra un moment après:
Venez, lui dit-elle, voyez si je ne vous tiens pas ma
parole; et si, en vous montrant mademoiselle de Chartres, je ne vous fais pas voir cette beauté que vous
cherchiez: remerciez-moi au moins de lui avoir appris
l'admiration que vous aviez déjà pour elle.

Monsieur de Clèves sentit de la joie de voir que cette
personne, qu'il avoit trouvée si aimable, étoit d'une qualité proportionnée à sa beauté: il s'approcha d'elle, et
il la supplia de se souvenir qu'il avoit été le premier
à l'admirer, et que, sans la connoître, il avoit eu pour
elle tous les sentiments de respect et d'estime qui lui
étoient dus.

Le chevalier de Guise et lui, qui étoient amis, sortirent ensemble de chez Madame. Ils louèrent d'abord
mademoiselle de Chartres sans se contraindre. Ils trouvèrent enfin qu'ils la louoient trop, et ils cessèrent
l'un et l'autre de dire ce qu'ils en pensoient; mais ils
furent contraints d'en parler les jours suivants, partout
où ils se recontrèrent. Cette nouvelle beauté fut longtemps le sujet de toutes les conversations. La reine lui
donna de grandes louanges, et eut pour elle une considération extraordinaire; la reine dauphine en fit une
de ses favorites, et pria madame de Chartres de la
mener souvent chez elle. Mesdames, filles du roi, l'en-
voyoient chercher pour être de tous leurs divertissements. Enfin, elle étoit aimée et admirée de toute la
cour, excepté de madame de Valentinois. Ce n'est pas
que cette beauté lui donnât de l'ombrage; une trop
longue expérience lui avoit appris qu'elle n'avoit rien
à craindre auprès du roi; mais elle avoit tant de haine
pour le vidame de Chartres, qu'elle avoit souhaité d'attacher à elle par le mariage d'une de ses filles, et qui

s'étoit attaché à la reine, qu'elle ne pouvoit regarder favorablement une personne qui portoit son nom, et pour qui il faisoit paroître une grande amitié.

Le prince de Clèves devint passionnément amoureux de mademoiselle de Chartres, et souhaitoit ardemment de l'épouser; mais il craignoit que l'orgueil de madame de Chartres ne fût blessé de donner sa fille à un homme qui n'étoit pas l'aîné de sa maison. Cependant, cette maison étoit si grande, et le comte d'Eu, qui en étoit l'aîné, venoit d'épouser une personne si proche de la maison royale, que c'étoit plutôt la timidité que donne l'amour, que de véritables raisons, qui causoient les craintes de monsieur de Clèves. Il avoit un grand nombre de rivaux: le chevalier de Guise lui paroissoit le plus redoutable par sa naissance, par son mérite, et par l'éclat que la faveur donnoit à sa maison. Ce prince étoit devenu amoureux de mademoiselle de Chartres le premier jour qu'il l'avoit vue: il s'étoit aperçu de la passion de monsieur de Clèves, comme monsieur de Clèves s'étoit aperçu de la sienne. Quoiqu'ils fussent amis, l'éloignement que donnent les mêmes prétentions ne leur avoit pas permis de s'expliquer ensemble; et leur amitié s'étoit refroidie, sans qu'ils eussent eu la force de s'éclaircir. L'aventure qui étoit arrivée à monsieur de Clèves, d'avoir vu le premier mademoiselle de Chartres, lui paroissoit un heureux présage, et sembloit lui donner quelque avantage sur ses rivaux; mais il prévoyoit de grands obstacles par le duc de Nevers son père. Ce duc avoit d'étroites liaisons avec la duchesse de Valentinois: elle étoit ennemie du vidame, et cette raison étoit suffisante pour empêcher le duc de Nevers de consentir que son fils pensât à sa nièce.

Madame de Chartres, qui avoit eu tant d'application pour inspirer la vertu à sa fille, ne discontinua pas de prendre les mêmes soins dans un lieu où ils étoient si nécessaires, et où il y avoit tant d'exemples si dangereux. L'ambition et la galanterie étoient l'âme de cette cour, et occupoient également les hommes et les femmes. Il y avoit tant d'intérêts et tant de cabales différentes, et les dames y avoient tant de part, que l'amour étoit toujours mêlé aux affaires, et les affaires à l'amour. Personne n'étoit tranquille, ni indifférent; on songeoit à s'élever, à plaire, à servir ou à nuire; on ne connoissoit ni l'ennui, ni l'oisiveté, et on étoit toujours occupé des plaisirs ou des intrigues. Les dames avoient des attachements particuliers pour la reine, pour la reine dauphine, pour la reine de Navarre, pour Madame, sœur du roi, ou pour la duchesse de Valentinois. Les inclinations, les raisons de bienséance, ou le rapport d'humeur faisoient ces différents attachements. Celles qui avoient passé la première jeunesse et qui faisoient profession d'une vertu plus austère, étoient attachées à la reine. Celles qui étoient plus jeunes et qui cherchoient la joie et la galanterie, faisoient leur cour à la reine dauphine. La reine de Navarre avoit ses favorites; elle étoit jeune et elle avoit du pouvoir sur le roi son mari: il étoit joint au connétable, et avoit par là beaucoup de crédit. Madame, sœur du roi, conservoit encore de la beauté et attiroit plusieurs dames auprès d'elle. La duchesse de Valentinois avoit toutes celles qu'elle daignoit regarder; mais peu de femmes lui étoient agréables; et, excepté quelques-unes, qui avoient sa familiarité et sa confiance, et dont l'humeur avoit du rapport avec la sienne, elle n'en recevoit chez elle que les jours où elle prenoit plaisir à avoir une cour comme celle de la reine.

Toutes ces différentes cabales avoient de l'émulation et de l'envie les unes contre les autres: les dames qui les composoient avoient aussi de la jalousie entre elles, ou pour la faveur, ou pour les amants; les intérêts de grandeur et d'élévation se trouvoient souvent joints à ces autres intérêts moins importants, mais qui n'étoient pas moins sensibles. Ainsi il y avoit une sorte d'agitation sans désordre dans cette cour, qui la rendoit très agréable, mais aussi très dangereuse pour une jeune personne. Madame de Chartres voyoit ce péril, et ne songeoit qu'aux moyens d'en garantir sa fille. Elle la pria, non pas comme sa mère, mais comme son amie, de lui faire confidence de toutes les galanteries qu'on lui diroit, et elle lui promit de lui aider à se conduire dans des choses où l'on étoit souvent embarrassé quand on étoit jeune.

Le chevalier de Guise fit tellement paroître les sentiments et les desseins qu'il avoit pour mademoiselle de Chartres qu'ils ne furent ignorés de personne. Il ne voyoit néanmoins que de l'impossibilité dans ce qu'il désiroit: il savoit bien qu'il n'étoit point un parti qui convint à mademoiselle de Chartres, par le peu de bien qu'il avoit pour soutenir son rang; et il savoit bien aussi que ses frères n'approuveroient pas qu'il se mariât, par la crainte de l'abaissement que les mariages des cadets apportent d'ordinaire dans les grandes maisons. Le cardinal de Lorraine lui fit bientôt voir qu'il ne se trompoit pas; il condamna l'attachement qu'il témoignoit pour mademoiselle de Chartres, avec une chaleur extraordinaire; mais il ne lui en dit pas les véritables raisons. Ce cardinal avoit une haine pour le vidame, qui étoit secrète alors, et qui éclata depuis. Il eût plutôt consenti à voir son frère entrer dans toute autre alliance que dans celle de ce vidame; et il déclara si publiquement combien il en étoit éloigné, que madame de Chartres en fut sensiblement offensée. Elle prit de grands soins de faire voir que le cardinal de Lorraine n'avoit rien à craindre, et qu'elle ne songeoit pas à ce mariage. Le vidame prit la même conduite, et sentit

encore plus que madame de Chartres celle du cardinal de
Lorraine, parce qu'il en savoit mieux la cause.

Le prince de Clèves n'avoit pas donné des marques
moins publiques de sa passion, qu'avoit fait le chevalier
de Guise. Le duc de Nevers apprit cet attachement avec
chagrin; il crut néanmoins qu'il n'avoit qu'à parler à
son fils, pour le faire changer de conduite; mais il fut
bien surpris de trouver en lui le dessein formé d'épouser
mademoiselle de Chartres. Il blâma ce dessein; il s'emporta et cacha si peu son emportement, que le sujet s'en
répandit bientôt à la cour, et alla jusqu'à madame de
Chartres. Elle n'avoit pas mis en doute que monsieur
de Nevers ne regardât le mariage de sa fille comme
un avantage pour son fils; elle fut bien étonnée que la
maison de Clèves et celle de Guise craignissent son
alliance, au lieu de la souhaiter. Le dépit qu'elle en eut
lui fit penser à trouver un parti pour sa fille, qui la
mit au-dessus de ceux qui se croyoient au-dessus d'elle.
Après avoir tout examiné, elle s'arrêta au prince
dauphin, fils du duc de Montpensier. Il étoit alors à
marier, et c'étoit ce qu'il y avoit de plus grand à la
cour. Comme madame de Chartres avoit beaucoup
d'esprit, qu'elle étoit aidée du vidame qui étoit dans
une grande considération, et qu'en effet sa fille étoit un
parti considérable, elle agit avec tant d'adresse et
tant de succès, que monsieur de Montpensier parut
souhaiter ce mariage, et il sembloit qu'il ne s'y pouvoit
trouver de difficultés.

Le vidame, qui savoit l'attachement de monsieur
d'Anville pour la reine dauphine, crut néanmoins qu'il
falloit employer le pouvoir que cette princesse avoit
sur lui, pour l'engager à servir mademoiselle de Chartres auprès du roi, et auprès du prince de Montpensier
dont il étoit ami intime. Il en parla à cette reine, et
elle entra avec joie dans une affaire où il s'agissoit de

l'élévation d'une personne qu'elle aimoit beaucoup ;
elle le témoigna au vidame, et l'assura que, quoiqu'elle
sût bien qu'elle feroit une chose désagréable au cardinal
de Lorraine, son oncle, elle passeroit avec joie par-
dessus cette considération, parce qu'elle avoit sujet de
se plaindre de lui, et qu'il prenoit tous les jours les
intérêts de la reine contre les siens propres.

Les personnes galantes sont toujours bien aise qu'un
prétexte leur donne lieu de parler à ceux qui les aiment.
Sitôt que le vidame eut quitté madame la dauphine, elle
ordonna à Châtelart, qui étoit favori de monsieur d'Anville, et qui savoit la passion qu'il avoit pour elle, de
lui aller dire, de sa part, de se trouver le soir chez la
reine. Châtelart reçut cette commission avec beaucoup
de joie et de respect. Ce gentilhomme étoit d'une bonne
maison de Dauphiné ; mais son mérite et son esprit le
mettoient au-dessus de sa naissance. Il étoit reçu et
bien traité de tout ce qu'il y avoit de grands seigneurs
à la cour, et la faveur de la maison de Montmorency
l'avoit particulièrement attaché à monsieur d'Anville :
il étoit bien fait de sa personne, adroit à toutes sortes
d'exercices ; il chantoit agréablement, il faisoit des vers,
et avoit un esprit galant et passionné qui plut si fort
à monsieur d'Anville, qu'il le fit confident de l'amour
qu'il avoit pour la reine dauphine. Cette confidence
l'approchoit de cette princesse, et ce fut en la voyant
souvent qu'il prit le commencement de cette malheureuse
passion qui lui ôta la raison, et qui lui coûta enfin la vie.

Monsieur d'Anville ne manqua pas d'être le soir chez
la reine ; il se trouva heureux que madame la dauphine
l'eût choisi pour travailler à une chose qu'elle désiroit,
et il lui promit d'obéir exactement à ses ordres ; mais
madame de Valentinois, ayant été avertie du dessein de
ce mariage, l'avoit traversé avec tant de soin, et avoit
tellement prévenu le roi, que, lorsque monsieur d'An-

ville lui en parla, il lui fit paroître qu'il ne l'approuvoit pas, et lui ordonna même de le dire au prince de Montpensier. L'on peut juger ce que sentit madame de Chartres par la rupture d'une chose qu'elle avoit tant désirée, dont le mauvais succès donnoit un si grand avantage à ses ennemis, et faisoit un si grand tort à sa fille.

La reine dauphine témoigna à mademoiselle de Chartres, avec beaucoup d'amitié, le déplaisir qu'elle avoit de lui avoir été inutile: "Vous voyez, lui dit-elle, que j'ai un médiocre pouvoir; je suis si haïe de la reine et de la duchesse de Valentinois, qu'il est difficile que, par elles, ou par ceux qui sont dans leur dépendance, elles ne traversent toujours toutes les choses que je désire: cependant, ajouta-t-elle, je n'ai jamais pensé qu'à leur plaire; aussi elles ne me haïssent qu'à cause de la reine ma mère, qui leur a donné autrefois de l'inquiétude et de la jalousie. Le roi en avoit été amoureux avant qu'il le fût de madame de Valentinois; et, dans les premières années de son mariage, qu'il n'avoit point encore d'enfants, quoiqu'il aimât cette duchesse, il parut quasi résolu de se démarier pour épouser la reine ma mère. Madame de Valentinois, qui craignoit une femme qu'il avoit déjà aimée, et dont la beauté et l'esprit pouvoient diminuer sa faveur, s'unit au connétable, qui ne souhaitoit pas aussi que le roi épousât une sœur de messieurs de Guise: ils mirent le feu roi dans leurs sentiments, et, quoiqu'il haït mortellement la duchesse de Valentinois, comme il aimoit la reine, il travailla avec eux pour empêcher le roi de se démarier; mais pour lui ôter absolument la pensée d'épouser la reine ma mère, ils firent son mariage avec le roi d'Écosse, qui étoit veuf de madame Magdeleine, sœur du roi, et ils le firent parce qu'il étoit le plus prêt à conclure, et manquèrent aux engagements qu'on avoit avec le roi d'Angleterre, qui la souhaitoit ardemment. Il s'en fallut peu même que ce manquement ne fît une rupture entre les deux rois. Henri VIII ne pouvoit se consoler de n'avoir pas épousé la reine ma mère; et, quelque autre princesse françoise qu'on lui proposât, il disoit toujours qu'elle ne remplaceroit jamais celle qu'on lui avoit ôtée. Il est vrai aussi que la reine ma mère était une parfaite beauté, et que c'est une chose remarquable, que, veuve d'un duc de Longueville, trois rois aient souhaité de l'épouser: son malheur l'a donnée au moindre, et l'a mise dans un royaume où elle ne trouve que des peines. On dit que je lui ressemble: je crains de lui ressembler aussi par sa malheureuse destinée, et, quelque bonheur qui semble se préparer pour moi, je ne saurois croire que j'en jouisse."

Mademoiselle de Chartres dit à la reine que ces tristes pressentiments étoient si mal fondés, qu'elle ne les conserveroit pas longtemps, et qu'elle ne devoit point douter que son bonheur ne répondît aux apparences.

Personne n'osoit plus penser à mademoiselle de Chartres, par la crainte de déplaire au roi, ou par la pensée de ne pas réussir auprès d'une personne qui avoit espéré un prince du sang. Monsieur de Clèves ne fut retenu par aucune de ces considérations. La mort du duc de Nevers son père, qui arriva alors, le mit dans une entière liberté de suivre son inclination, et, sitôt que le temps de la bienséance du deuil fut passé, il ne songea plus qu'aux moyens d'épouser mademoiselle de Chartres. Il se trouvoit heureux d'en faire la proposition dans un temps où ce qui s'étoit passé avoit éloigné les autres partis, et où il étoit quasi assuré qu'on ne la lui refuseroit pas. Ce qui troubloit sa joie, étoit la crainte de ne lui être pas agréable, et il eût préféré le bonheur de lui plaire à la certitude de l'épouser sans en être aimé.

Le chevalier de Guise lui avoit donné quelque sorte de jalousie; mais, comme elle étoit plutôt fondée sur le mérite de ce prince que sur aucune des actions de mademoiselle de Chartres, il songea seulement à tâcher de découvrir s'il étoit assez heureux pour qu'elle approuvât la pensée qu'il avoit pour elle: il ne la voyoit que chez les reines, ou aux assemblées; il étoit difficile d'avoir une conversation particulière. Il en trouva pourtant les moyens, et il lui parla de son dessein et de sa passion avec tout le respect imaginable; il la pressa de lui faire connoître quels étoient les sentiments qu'elle avoit pour lui, et il lui dit que ceux qu'il avoit pour elle étoient d'une nature qui le rendroient éternellement malheureux, si elle n'obéissoit que par devoir aux volontés de madame sa mère.

Comme mademoiselle de Chartres avoit le cœur très noble et très bien fait, elle fut véritablement touchée de reconnoissance du procédé du prince de Clèves. Cette reconnoissance donna à ses réponses et à ses paroles un certain air de douceur qui suffisoit pour donner de l'espérance à un homme aussi éperdument amoureux que l'étoit ce prince: de sorte qu'il se flatta d'une partie de ce qu'il souhaitoit.

Elle rendit compte à sa mère de cette conversation et madame de Chartres lui dit qu'il y avoit tant de grandeur et de bonnes qualités dans monsieur de Clèves, et qu'il faisoit paroître tant de sagesse pour son âge, que, si elle sentoit son inclination portée à l'épouser, elle y consentiroit avec joie. Mademoiselle de Chartres répondit qu'elle lui remarquoit les mêmes bonnes qualités; qu'elle l'épouseroit même avec moins de répugnance qu'un autre; mais qu'elle n'avoit aucune inclination particulière pour sa personne.

Dès le lendemain, ce prince fit parler à madame de Chartres; elle reçut la proposition qu'on lui faisoit, et

elle ne craignit point de donner à sa fille un mari qu'elle
ne pût aimer, en lui donnant le prince de Clèves. Les
articles furent conclus; on parla au roi, et ce mariage fut
su de tout le monde.

Monsieur de Clèves se trouvoit heureux, sans être
néanmoins entièrement content. Il voyoit avec beaucoup
de peine que les sentiments de mademoiselle de Chartres ne passoient pas ceux de l'estime et de la reconnoissance, et il ne pouvoit se flatter qu'elle en cachât
de plus obligeants, puisque l'état où ils étoient lui per-
mettoit de les faire paroître sans choquer son extrême
modestie. Il ne se passoit guère de jours qu'il ne lui en
fît ses plaintes. Est-il possible, lui disoit-il, que je
puisse n'être pas heureux en vous épousant? Cependant
il est vrai que je ne le suis pas. Vous n'avez pour moi
qu'une sorte de bonté qui ne me peut satisfaire; vous
n'avez ni impatience, ni inquiétude, ni chagrin; vous
n'êtes pas plus touchée de ma passion que vous le seriez
d'un attachement qui ne seroit fondé que sur les avantages de votre fortune, et non pas sur les charmes de
votre personne. Il y a de l'injustice à vous plaindre,
lui répondit-elle; je ne sais ce que vous pouvez souhaiter au delà de ce que je fais, et il me semble que la
bienséance ne permet pas que j'en fasse davantage.
Il est vrai, lui répliqua-t-il, que vous me donnez de
certaines apparences dont je serois content, s'il y avoit
quelque chose au delà; mais au lieu que la bienséance
vous retienne, c'est elle seule qui vous fait faire ce que
vous faites. Je ne touche ni votre inclination ni votre
cœur, et ma présence ne vous donne ni de plaisir ni
de trouble. Vous ne sauriez douter, reprit-elle, que je
n'aie de la joie de vous voir, et je rougis si souvent
en vous voyant, que vous ne sauriez douter aussi que
votre vue ne me donne du trouble. Je ne me trompe
pas à votre rougeur, répondit-il; c'est un sentiment de

modestie, et non pas un mouvement de votre cœur et je n'en tire que l'avantage que j'en dois tirer.

Mademoiselle de Chartres ne savoit que répondre, et ces distinctions étoient au-dessus de ses connoissances. Monsieur de Clèves ne voyoit que trop combien elle étoit éloignée d'avoir pour lui des sentiments qui le pouvoient satisfaire, puisqu'il lui paroissoit même qu'elle ne les entendoit pas.

Le chevalier de Guise revint d'un voyage peu de jours avant les noces. Il avoit vu tant d'obstacles insurmontables au dessein qu'il avoit eu d'épouser mademoiselle de Chartres, qu'il n'avoit pu se flatter d'y réussir; et néanmoins il fut sensiblement affligé de la voir devenir la femme d'un autre: cette douleur n'éteignit pas sa passion, et il ne demeura pas moins amoureux. Mademoiselle de Chartres n'avoit pas ignoré les sentiments que ce prince avoit eus pour elle. Il lui fit connoître, à son retour, qu'elle étoit cause de l'extrême tristesse qui paroissoit sur son visage; et il avoit tant de mérite et tant d'agrément, qu'il étoit difficile de le rendre malheureux sans en avoir quelque pitié. Aussi ne se pouvoit-elle défendre d'en avoir; mais cette pitié ne la conduisoit pas à d'autres sentiments: elle contoit à sa mère la peine que lui donnoit l'affection de ce prince.

Madame de Chartres admiroit la sincérité de sa fille, et elle l'admiroit avec raison; car jamais personne n'en a eu une si grande et si naturelle; mais elle n'admiroit pas moins que son cœur ne fut point touché, et d'autant plus qu'elle voyoit bien que le prince de Clèves ne l'avoit point touchée, non plus que les autres. Cela fut cause qu'elle prit de grands soins de l'attacher à son mari, et de lui faire comprendre ce qu'elle devoit à l'inclination qu'il avoit eue pour elle, avant que de la connoître, et à la passion qu'il lui avoit témoignée, en

la préférant à tous les autres partis, dans un temps
où personne n'osoit plus penser à elle.

Ce mariage s'acheva: la cérémonie s'en fit au Louvre;
et le soir le roi et les reines vinrent souper chez madame de Chartres, avec toute la cour, où ils furent reçus
avec une magnificence admirable. Le chevalier de Guise
n'osa se distinguer des autres, et ne pas assister à cette
cérémonie; mais il y fut si peu maître de sa tristesse,
qu'il étoit aisé de la remarquer.

Monsieur de Clèves ne trouva pas que mademoiselle
de Chartres eût changé de sentiment en changeant de
nom. La qualité de mari lui donna de plus grands privi-
lèges; mais elle ne lui donna pas une autre place dans
le cœur de sa femme. Cela fit aussi que, pour être son
mari, il ne laissa pas d'être son amant, parce qu'il
avoit toujours quelque chose à souhaiter au delà de sa
possession, et, quoiqu'elle vécût parfaitement bien avec
lui, il n'étoit pas entièrement heureux. Il conservoit pour
elle une passion violente et inquiète qui troubloit sa
joie: la jalousie n'avoit point de part à ce trouble;
jamais mari n'a été si loin d'en prendre, et jamais
femme n'a été si loin d'en donner. Elle étoit néanmoins
exposée au milieu de la cour; elle alloit tous les jours
chez les reines et chez Madame. Tout ce qu'il y avoit
d'hommes jeunes et galants la voyoient chez elle et
chez le duc de Nevers, son beau-frère, dont la maison
étoit ouverte à tout le monde; mais elle avoit un air
qui inspiroit un si grand respect, et qui paroissoit si
éloigné de la galanterie, que le maréchal de Saint-
André, quoique audacieux et soutenu de la faveur du roi,
étoit touché de sa beauté, sans oser le lui faire paroître
que par des soins et des devoirs. Plusieurs autres étoient
dans le même état; et madame de Chartres joignoit à
la sagesse de sa fille une conduite si exacte pour toutes

les bienséances, qu'elle achevoit de la faire paroître une personne où l'on ne pouvoit atteindre.

La duchesse de Lorraine, en travaillant à la paix, avoit aussi travaillé pour le mariage du duc de Lorraine, son fils; il avoit été conclu avec Madame Claude de France, seconde fille du roi. Les noces en furent résolues pour le mois de février.

Cependant le duc de Nemours étoit demeuré à Bruxelles, entièrement rempli et occupé de ses desseins pour l'Angleterre. Il en recevoit, ou y envoyoit continuellement des courriers: ses espérances augmentoient tous les jours; et, enfin, Lignerolles lui manda qu'il étoit temps que sa présence vînt achever ce qui étoit si bien commencé. Il reçut cette nouvelle avec toute la joie que peut avoir un jeune homme ambitieux, qui se voit porté au trône par sa seule réputation. Son esprit s'étoit insensiblement accoutumé à la grandeur de cette fortune, et, au lieu qu'il l'avoit rejetée d'abord comme une chose où il ne pouvoit parvenir, les difficultés s'étoient effacées de son imagination, et il ne voyoit plus d'obstacles.

Il envoya en diligence à Paris donner tous les ordres nécessaires pour faire un équipage magnifique, afin de paroître en Angleterre avec un éclat proportionné au dessein qui l'y conduisoit, et il se hâta lui-même de venir à la cour pour assister au mariage de monsieur de Lorraine.

Il arriva à la veille des fiançailles, et, dès le même soir qu'il fut arrivé, il alla rendre compte au roi de l'état de son dessein, et recevoir ses ordres et ses conseils pour ce qui restoit à faire. Il alla ensuite chez les reines. Madame de Clèves n'y étoit pas, de sorte qu'elle ne le vit point, et ne sut pas même qu'il fût arrivé. Elle avoit ouï parler de ce prince à tout le monde, comme de ce qu'il y avoit de mieux fait et de plus agréable à la cour; et surtout madame la dauphine le lui avoit dépeint d'une sorte, et lui en avoit parlé tant de fois, qu'elle lui avoit donné de la curiosité, et même de l'impatience de le voir.

Elle passa tout le jour des fiançailles chez elle à se parer, pour se trouver le soir au bal et au festin royal qui se faisoit au Louvre. Lorsqu'elle arriva, l'on admira sa beauté et sa parure: le bal commença; et, comme elle dansoit avec monsieur de Guise, il se fit un assez grand bruit vers la porte de la salle, comme de quelqu'un qui entroit, et à qui on faisoit place. Madame de Clèves acheva de danser, et, pendant qu'elle cherchoit des yeux quelqu'un qu'elle avoit dessein de prendre, le roi lui cria de prendre celui qui arrivoit. Elle se tourna, et vit un homme qu'elle crut d'abord ne pouvoir être que monsieur de Nemours, qui passoit par-dessus quelque siège pour arriver où l'on dansoit. Ce prince étoit fait d'une sorte, qu'il étoit difficile de n'être pas surpris de le voir quand on ne l'avoit jamais vu, surtout ce soir-là, où le soin qu'il avoit pris de se parer augmentoit encore l'air brillant qui étoit dans sa personne; mais il étoit difficile aussi de voir madame de Clèves pour la première fois, sans avoir un grand étonnement.

Monsieur de Nemours fut tellement surpris de sa beauté que, lorsqu'il fut proche d'elle, et qu'elle lui fit la révérence, il ne put s'empêcher de donner des marques de son admiration. Quand ils commencèrent à danser, il s'éleva dans la salle un murmure de louanges. Le roi et les reines se souvinrent qu'ils ne s'étoient jamais vus, et trouvèrent quelque chose de singulier de les voir danser ensemble sans se connoître. Ils les appelèrent quand ils eurent fini, sans leur donner le loisir de parler à personne, et leur demandèrent s'ils n'avoient pas bien envie de savoir qui ils étoient, et s'ils ne s'en doutoient point. Pour moi, madame, dit monsieur de Nemours, je n'ai pas d'incertitude; mais, comme madaine de Clèves n'a pas les mêmes raisons pour deviner qui je suis que celles que j'ai pour la reconnoître, je voudrois bien que Votre Majesté eût la bonté de lui apprendre mon nom. Je crois, dit madame la dauphine, qu'elle le sait aussi bien que vous savez le sien. Je vous assure, madame, reprit madame de Clèves, qui paroissoit un peu embarrassée, que je ne devine pas si bien que vous pensez. Vous devinez fort bien, répondit madame la dauphine; et il y a même quelque chose d'obligeant pour monsieur de Nemours, à ne vouloir pas avouer que vous le connoissez sans l'avoir jamais vu. La reine les interrompit pour faire continuer le bal: monsieur de Nemours prit la reine dauphine. Cette princesse étoit d'une parfaite beauté, et avoit paru telle aux yeux de monsieur de Nemours, avant qu'il allât en Flandre; mais, de tout le soir, il ne put admirer que madame de Clèves.

Le chevalier de Guise, qui l'adoroit toujours, étoit à ses pieds, et ce qui se venoit de passer lui avoit donné une douleur sensible. Il prit comme un présage que la fortune destinoit monsieur de Nemours à être amoureux de madame de Clèves; et, soit qu'en effet il eût paru quelque trouble sur son visage, ou que la jalousie fît voir au chevalier de Guise au delà de la vérité, il crut qu'elle avoit été touchée de la vue de ce prince, et il ne put s'empêcher de lui dire que monsieur de Nemours étoit bien heureux de commencer à être connu d'elle par une aventure qui avoit quelque chose de galant et d'extraordinaire.

Madame de Clèves revint chez elle, l'esprit si rempli de tout ce qui s'étoit passé au bal, que, quoiqu'il fût fort tard, elle alla dans la chambre de sa mère pour lui en rendre compte; et elle lui loua monsieur de Nemours avec un certain air qui donna à madame de Chartres la même pensée qu'avoit eue le chevalier de Guise.

Le lendemain, la cérémonie des noces se fit; madame de Clèves y vit le duc de Nemours avec une mine et une grâce si admirables, qu'elle en fut encore plus surprise.

Les jours suivants, elle le vit chez la reine dauphine; elle le vit jouer à la paume avec le roi; elle le vit courre la bague; elle l'entendit parler; mais elle le vit toujours surpasser de si loin tous les autres, et se rendre tellement maître de la conversation dans tous les lieux où il étoit, par l'air de sa personne, et par l'agrément de son esprit, qu'il fit, en peu de temps, une grande impression dans son cœur.

Il est vrai aussi que, comme monsieur de Nemours sentoit pour elle une inclination violente, qui lui donnoit cette douceur et cet enjouement qu'inspirent les premiers désirs de plaire, il étoit encore plus aimable qu'il n'avoit accoutumé de l'être; de sorte que, se voyant souvent, et se voyant l'un et l'autre ce qu'il y avoit de plus parfait à la cour, il étoit difficile qu'ils ne se plussent infiniment.

La duchesse de Valentinois étoit de toutes les parties de plaisir, et le roi avoit pour elle la même vivacité et les mêmes soins que dans les commencements de sa passion. Madame de Clèves, qui étoit dans cet âge où l'on ne croit pas qu'une femme puisse être aimée quand elle a passé vingt-cinq ans, regardoit avec un extrême étonnement l'attachement que le roi avoit pour cette duchesse, qui étoit grand'mère, et qui venoit de marier sa petite-fille. Elle en parloit souvent à madame de Chartres: Est-il possible, madame, lui disoit-elle, qu'il y ait si longtemps que le roi en soit amoureux? Comment s'est-il pu attacher à une personne qui étoit beaucoup plus âgée que lui, qui avoit été maîtresse de son père et qui l'est encore de beaucoup d'autres, à ce que j'ai ouï dire? Il est vrai, répondit-elle, que ce n'est

ni le mérite, ni la fidélité de madame de Valentinois qui
a fait naître la passion du roi, ni qui l'a conservée, et
c'est aussi en quoi il n'est pas excusable; car, si cette
femme avoit eu de la jeunesse et de la beauté jointes
à sa naissance, qu'elle eût eu le mérite de n'avoir jamais
rien aimé, qu'elle eût aimé le roi avec une fidélité exacte,
qu'elle l'eût aimé par rapport à sa seule personne, sans
intérêt de grandeur, ni de fortune, et sans se servir
de son pouvoir que pour des choses honnêtes ou agréables au roi même, il faut avouer qu'on auroit eu de la
peine à s'empêcher de louer ce prince du grand attachement qu'il a pour elle. Si je ne craignois, continua
madame de Chartres, que vous disiez de moi ce que
l'on dit de toutes les femmes de mon âge, qu'elles aiment
à conter les histoires de leur temps, je vous apprendrois
le commencement de la passion du roi pour cette
duchesse, et plusieurs choses de la cour du feu roi, qui
ont même beaucoup de rapport avec celles qui se passent
encore présentement. Bien loin de vous accuser, reprit
madame de Clèves, de redire les histoires passées, je
me plains, madame, que vous ne m'ayez pas instruite
des présentes, et que vous ne m'ayez point appris les
divers intérêts et les diverses liaisons de la cour. Je
les ignore si entièrement, que je croyois, il y a peu de
jours, que monsieur le connétable étoit fort bien avec la
reine. Vous aviez une opinion bien opposée à la vérité,
répondit madame de Chartres. La reine hait monsieur
le connétable, et, si elle a jamais quelque pouvoir, il
ne s'en apercevra que trop. Elle sait qu'il a dit plusieurs
fois au roi que, de tous ses enfants, il n'y avoit que
les naturels qui lui ressemblassent. Je n'eusse jamais
soupçonné cette haine, interrompit madame de Clèves,
après avoir vu le soin que la reine avoit d'écrire à monsieur le connétable pendant sa prison, la joie qu'elle a
témoignée à son retour, et comme elle l'appelle tou-

jours mon compère, aussi bien que le roi. Si vous jugez
sur les apparences en ce lieu-ci, répondit madame de
Chartres, vous serez souvent trompée: ce qui paroît n'est
presque jamais la vérité.

Mais, pour revenir à madame de Valentinois, vous
savez qu'elle s'appelle Diane de Poitiers: sa maison est
très illustre; elle vient des anciens ducs d'Aquitaine;
son aïeule étoit fille naturelle de Louis XI, et enfin il
n'y a rien que de grand dans sa naissance. Saint-Vallier,
son père, se trouva embarrassé dans l'affaire du connétable de Bourbon, dont vous avez ouï parler. Il fut
condamné à avoir la tête tranchée, et conduit sur
l'échafaud. Sa fille, dont la beauté étoit admirable, et
qui avoit déjà plu au feu roi, fit si bien (je ne sais
par quels moyens) qu'elle obtint la vie de son père. On
lui porta sa grâce, comme il n'attendoit que le coup
de la mort; mais la peur l'avoit tellement saisi, qu'il
n'avoit plus de connoissance, et il mourut peu de jours
après. Sa fille parut à la cour comme la maîtresse du
roi. Le voyage d'Italie et la prison de ce prince inter-
rompirent cette passion; lorsqu'il revint d'Espagne, et
que madame la régente alla au devant de lui à Bayonne,
elle mena toutes ses filles, parmi lesquelles étoit mademoiselle de Pisseleu, qui a été depuis la duchesse
d'Étampes. Le roi en devint amoureux. Elle étoit in-
férieure en naissance, en esprit et en beauté à madame
de Valentinois, et elle n'avoit au-dessus d'elle que l'avantage de la grande jeunesse. Je lui ai ouï dire plusieurs
fois qu'elle étoit née le jour que Diane de Poitiers avoit
été mariée. La haine le lui faisoit dire, et non pas la
vérité: car je suis bien trompée si la duchesse de Valentinois n'épousa monsieur de Brézé, grand sénéchal de
Normandie, dans le même temps que le roi devint amoureux de madame d'Étampes. Jamais il n'y a eu une si
grande haine que l'a été celle de ces deux femmes. La

duchesse de Valentinois ne pouvoit pardonner à madame d'Étampes de lui avoir ôté le titre de maîtresse
du roi. Madame d'Étampes avoit une jalousie violente
contre madame de Valentinois, parce que le roi conservoit un commerce avec elle. Ce prince n'avoit pas
une fidélité exacte pour ses maîtresses; il y en avoit toujours une qui avoit le titre et les honneurs; mais les
dames, que l'on appeloit de la petite bande, le partageoient tour à tour. La perte du dauphin, son fils, qui
mourut à Tournon et que l'on crut empoisonné, lui donna
une sensible affliction. Il n'avoit pas la même tendresse,
ni le même goût pour son second fils, qui règne présentement; il ne lui trouvoit pas assez de hardiesse, ni assez
de vivacité. Il s'en plaignit un jour à madame de Valentinois, et elle lui dit qu'elle vouloit le faire devenir
amoureux d'elle, pour le rendre plus vif et plus agréable.
Elle y réussit, comme vous le voyez; il y a plus de
vingt ans que cette passion dure, sans qu'elle ait été
altérée, ni par le temps, ni par les obstacles.

Le feu roi s'y opposa d'abord; et, soit qu'il eût encore
assez d'amour pour madame de Valentinois, pour avoir
de la jalousie, ou qu'il fût poussé par la duchesse
d'Étampes, qui étoit au désespoir que monsieur le
dauphin fût attaché à son ennemie, il est certain qu'il
vit cette passion avec une colère et un chagrin dont
il donnoit tous les jours des marques. Son fils ne craignit
ni sa colère ni sa haine, et rien ne put l'obliger à
diminuer son attachement, ni à le cacher; il fallut que
le roi s'accoutumât à le souffrir. Aussi cette opposition
à ses volontés l'éloigna encore de lui, et l'attacha davantage au duc d'Orléans, son troisième fils. C'étoit un
prince bien fait, beau, plein de feu et d'ambition, d'une
jeunesse fougueuse, qui avoit besoin d'être modéré, mais
qui eût fait aussi un prince d'une grande élévation, si
l'âge eût mûri son esprit.

Le rang d'aîné qu'avoit le dauphin, et la faveur du roi
qu'avoit le duc d'Orléans, faisoient entre eux une sorte
d'émulation, qui alloit jusqu'à la haine. Cette émulation avoit commencé dès leur enfance, et s'étoit toujours
conservée. Lorsque l'Empereur passa en France, il donna
une préférence entière au duc d'Orléans sur monsieur
le dauphin, qui la ressentit si vivement, que, comme cet
Empereur étoit à Chantilly, il voulut obliger monsieur
le connétable à l'arrêter, sans attendre le commandement du roi. Monsieur le connétable ne le voulut pas;
le roi le blâma dans la suite de n'avoir pas suivi le
conseil de son fils; et, lorsqu'il l'éloigna de la cour, cette
raison y eut beaucoup de part.

La division des deux frères donna la pensée à la
duchesse d'Étampes de s'appuyer de monsieur le duc
d'Orléans, pour la soutenir auprès du roi contre madame de Valentinois. Elle y réussit: ce prince, sans
être amoureux d'elle, n'entra guère moins dans ses intérêts, que le dauphin étoit dans ceux de madame de
Valentinois. Cela fit deux cabales dans la cour, telles
que vous pouvez vous les imaginer; mais ces intrigues
ne se bornèrent pas seulement à des démêlés de femmes.

L'Empereur, qui avoit conservé de l'amitié pour le
duc d'Orléans, avoit offert plusieurs fois de lui remettre
le duché de Milan. Dans les propositions qui se firent
depuis pour la paix, il faisoit espérer de lui donner
les dix-sept provinces, et de lui faire épouser sa fille.
Monsieur le dauphin ne souhaitoit ni la paix, ni ce
mariage. Il se servit de monsieur le connétable, qu'il a
toujours aimé, pour faire voir au roi de quelle importance il étoit de ne pas donner à son successeur un
frère aussi puissant que le seroit un duc d'Orléans avec
l'alliance de l'Empereur et les dix-sept provinces. Monsieur le connétable entra d'autant mieux dans les sentiments de monsieur le dauphin, qu'il s'opposoit par là à

ceux de madame d'Étampes, qui étoit son ennemie dé-
clarée, et qui souhaitoit ardemment l'élévation de monsieur le duc d'Orléans.

Monsieur le dauphin commandoit alors l'armée du roi
en Champagne, et avoit réduit celle de l'Empereur en
une telle extrémité, qu'elle eût péri entièrement, si la
duchesse d'Étampes, craignant que de trop grands
avantages ne nous fissent refuser la paix et l'alliance de
l'Empereur pour monsieur le duc d'Orléans, n'eût fait
secrètement avertir les ennemis de surprendre Épernay
et Château-Thierry qui étoient pleins de vivres. Ils le
firent, et sauvèrent par ce moyen toute leur armée.

Cette duchesse ne jouit pas longtemps du succès de
sa trahison. Peu après, monsieur le duc d'Orléans mourut à Farmoutier d'une espèce de maladie contagieuse.
Il aimoit une des plus belles femmes de la cour, et en
étoit aimé. Je ne vous la nommerai pas, parce qu'elle
a vécu depuis avec tant de sagesse, et qu'elle a même
caché avec tant de soin la passion qu'elle avoit pour
ce prince, qu'elle a mérité que l'on conserve sa réputation. Le hasard fit qu'elle reçut la nouvelle de la mort
de son mari, le même jour qu'elle apprit celle de monsieur d'Orléans; de sorte qu'elle eut ce prétexte pour
cacher sa véritable affliction, sans avoir la peine de se
contraindre.

Le roi ne survécut guère le prince son fils; il mourut
deux ans après. Il recommanda à monsieur le dauphin
de se servir du cardinal de Tournon et de l'amiral d'Annebault, et ne parla point de monsieur le connétable,
qui étoit pour lors relégué à Chantilly. Ce fut néanmoins la première chose que fit le roi, son fils, de le
rappeler, et de lui donner le gouvernement des affaires.

Madame d'Étampes fut chassée, et reçut tous les mauvais traitements qu'elle pouvoit attendre d'une ennemie
toute-puissante: la duchesse de Valentinois se vengea

lors pleinement, et de cette duchesse et de tous ceux qui lui avoient déplu. Son pouvoir parut plus absolu sur l'esprit du roi, qu'il ne paroissoit encore pendant qu'il étoit dauphin. Depuis douze ans que ce prince règne, elle est maîtresse absolue de toutes choses; elle dispose des charges et des affaires; elle a fait chasser le cardinal de Tournon, le chancelier Olivier et Ville-roy. Ceux qui ont voulu éclairer le roi sur sa conduite ont péri dans cette entreprise. Le comte de Taix, grand maître de l'artillerie, qui ne l'aimoit pas, ne put s'em-pêcher de parler de ses galanteries, et surtout de celle du comte de Brissac, dont le roi avoit déjà eu beaucoup de jalousie; néanmoins elle fit si bien, que le comte de Taix fut disgracié; on lui ôta sa charge; et, ce qui est presque incroyable, elle la fit donner au comte de Brissac, et l'a fait ensuite maréchal de France. La jalousie du roi augmenta néanmoins d'une telle sorte, qu'il ne put souffrir que ce maréchal demeurât à la cour; mais la jalousie, qui est aigre et violente en tous les autres, est douce et modérée en lui, par l'extrême respect qu'il a pour sa maîtresse; en sorte qu'il n'osa éloigner son rival, que sur le prétexte de lui donner le gouvernement de Piémont. Il y a passé plusieurs années: il revint, l'hiver dernier, sur le prétexte de demander des troupes, et d'autres choses nécessaires pour l'armée qu'il commande. Le désir de revoir madame de Valen-tinois, et la crainte d'en être oublié, avoit peut-être beaucoup de part à ce voyage. Le roi le reçut avec une grande froideur. Messieurs de Guise qui ne l'aiment pas, mais qui n'osent le témoigner, à cause de madame de Valentinois, se servirent de monsieur le vidame, qui est son ennemi déclaré, pour empêcher qu'il n'obtînt aucune des choses qu'il étoit venu demander. Il n'étoit pas difficile de lui nuire: le roi le haïssoit, et sa présence lui donnoit de l'inquiétude; de sorte qu'il fut contraint

de s'en retourner, sans remporter aucun fruit de son
voyage, que d'avoir peut-être rallumé dans le cœur de
madame de Valentinois des sentiments que l'absence
commençoit d'éteindre. Le roi a bien eu d'autres sujets
de jalousie; mais, ou il ne les a pas connus, ou il n'a
osé s'en plaindre.

Je ne sais, ma fille, ajouta madame de Chartres, si
vous ne trouverez point que je vous ai plus appris de
choses que vous n'aviez envie d'en savoir. Je suis très
éloignée, madame, de faire cette plainte, répondit madame de Clèves; et, sans la peur de vous importuner, je
vous demanderois encore plusieurs circonstances que
j'ignore.

La passion de monsieur de Nemours pour madame
de Clèves fut d'abord si violente, qu'elle lui ôta le goût
et même le souvenir de toutes les personnes qu'il avoit
aimées, et avec qui il avoit conservé des commerces
pendant son absence. Il ne prit pas seulement le soin de
chercher des prétextes pour rompre avec elles; il ne put
se donner la patience d'écouter leurs plaintes, et de
répondre à leurs reproches. Madame la dauphine, pour
qui il avoit eu des sentiments assez passionnés, ne put
tenir dans son cœur contre madame de Clèves. Son impatience pour le voyage d'Angleterre commença même à
se ralentir, et il ne pressa plus avec tant d'ardeur les
choses qui étoient nécessaires pour son départ. Il alloit
souvent chez la reine dauphine, parce que madame de
Clèves y alloit souvent, et il n'étoit pas fâché de laisser
imaginer ce que l'on avoit cru de ses sentiments pour
cette reine. Madame de Clèves lui paroissoit d'un si
grand prix, qu'il se résolut de manquer plutôt à lui
donner des marques de sa passion, que de hasarder de
la faire connoître au public. Il n'en parla pas même au
vidame de Chartres, qui étoit son ami intime, et pour
qui il n'avoit rien de caché. Il prit une conduite si

sage, et s'observa avec tant de soin, que personne ne
le soupçonna d'être amoureux de madame de Clèves,
que le chevalier de Guise; et elle auroit eu peine à s'en
apercevoir elle-même, si l'inclination qu'elle avoit pour
lui ne lui eût donné une attention particulière pour
ses actions, qui ne lui permit pas d'en douter.

Elle ne se trouva pas la même disposition à dire à
sa mère ce qu'elle pensait des sentiments de ce prince,
qu'elle avoit eue à lui parler de ses autres amants:
sans avoir un dessein formé de lui cacher, elle ne lui en
parla point. Mais madame de Chartres ne le voyoit que
trop, aussi bien que le penchant que sa fille avoit pour
lui. Cette connoissance lui donna une douleur sensible;
elle jugeoit bien le péril où étoit cette jeune personne,
d'être aimée d'un homme fait comme monsieur de Nemours pour qui elle avoit de l'inclination. Elle fut entièrement confirmée dans les soupçons qu'elle avoit de
cette inclination par une chose qui arriva peu de jours
après.

Le maréchal de Saint-André, qui cherchoit toutes les
occasions de faire voir sa magnificence, supplia le roi,
sur le prétexte de lui montrer sa maison, qui ne venoit
que d'être achevée, de lui vouloir faire l'honneur d'y
aller souper avec les reines. Ce maréchal étoit bien aise
aussi de faire paroître aux yeux de madame de Clèves
cette dépense éclatante qui alloit jusqu'à la profusion.

Quelques jours avant celui qui avoit été choisi pour
ce souper, le roi dauphin, dont la santé étoit assez mauvaise, s'étoit trouvé mal, et n'avoit vu personne. La
reine, sa femme, avoit passé tout le jour auprès de lui.
Sur le soir, comme il se portoit mieux, il fit entrer toutes
les personnes de qualité qui étoient dans son antichamb-
bre. La reine dauphine s'en alla chez elle; elle trouva
madame de Clèves et quelques autres dames qui étoient
le plus dans sa familiarité.

Comme il étoit déjà assez tard, et qu'elle n'étoit point habillée, elle n'alla pas chez la reine; elle fit dire qu'on ne la voyoit point et fit apporter ses pierreries, afin d'en choisir pour le bal du maréchal de Saint-André, et pour en donner à madame de Clèves, à qui elle en avoit promis. Comme elles étoient dans cette occupation, le prince de Condé arriva. Sa qualité lui rendoit toutes les entrées libres. La reine dauphine lui dit qu'il venoit sans doute de chez le roi son mari, et lui demanda ce que l'on y faisoit. L'on dispute contre monsieur de Nemours, madame, répondit-il; et il défend avec tant de chaleur la cause qu'il soutient, qu'il faut que ce soit la sienne. Je crois qu'il a quelque maîtresse qui lui donne de l'inquiétude, quand elle est au bal, tant il trouve que c'est une chose fâcheuse pour un amant que d'y voir la personne qu'il aime.

Comment! reprit madame la dauphine, monsieur de Nemours ne veut pas que sa maîtresse aille au bal! J'avois bien cru que les maris pouvoient souhaiter que leurs femmes n'y allassent pas; mais, pour les amants, je n'avois jamais pensé qu'ils pussent être de ce sentiment. Monsieur de Nemours trouve, répliqua le prince de Condé, que le bal est ce qu'il y a de plus insupportable pour les amants, soit qu'ils soient aimés, ou qu'ils ne le soient pas. Il dit que, s'ils sont aimés, ils ont le chagrin de l'être moins pendant plusieurs jours; qu'il n'y a point de femme que le soin de sa parure n'empêche de songer à son amant; qu'elles en sont entièrement occupées; que ce soin de se parer est pour tout le monde, aussi bien que pour celui qu'elles aiment; que, lorsqu'elles sont au bal, elles veulent plaire à tous ceux qui les regardent; que, quand elles sont contentes de leur beauté, elles en ont une joie dont leur amant ne fait pas la plus grande partie. Il dit aussi que, quand on n'est point aimé, on souffre encore davantage de voir sa maîtresse dans une assemblée; que plus elle est admirée du public, plus on se trouve malheureux de n'en être point aimé; que l'on craint toujours que sa beauté ne fasse naître quelque amour plus heureux que le sien: enfin, il trouve qu'il n'y a point de souffrance pareille à celle de voir sa maîtresse au bal, si ce n'est de savoir qu'elle y est et de n'y être pas.

Madame de Clèves ne faisoit pas semblant d'entendre ce que disoit le prince de Condé; mais elle l'écoutoit avec attention. Elle jugeoit aisément quelle part elle avoit à l'opinion que soutenoit monsieur de Nemours, et surtout à ce qu'il disoit du chagrin de n'être pas au bal où étoit sa maîtresse, parce qu'il ne devoit pas être à celui du maréchal de Saint-André, et que le roi l'envoyoit au-devant du duc de Ferrare.

La reine dauphine rioit avec le prince de Condé, et n'approuvoit pas l'opinion de monsieur de Nemours. Il n'y a qu'une occasion, madame, lui dit ce prince, où monsieur de Nemours consente que sa maîtresse aille au bal, qu'alors que c'est lui qui le donne, et il dit que, l'année passée qu'il en donna un à Votre Majesté, il trouva que sa maîtresse lui faisoit une faveur d'y venir, quoiqu'elle ne semblât que vous y suivre; que c'est toujours faire une grâce à un amant, que d'aller prendre sa part à un plaisir qu'il donne; que c'est aussi une chose agréable pour l'amant, que sa maîtresse le voie le maître d'un lieu où est toute la cour, et qu'elle le voie se bien acquitter d'en faire les honneurs. Monsieur de Nemours avoit raison, dit la reine dauphine en souriant, d'approuver que sa maîtresse allât au bal. Il y avoit alors un si grand nombre de femmes à qui il donnoit cette qualité, que, si elles n'y fussent point venues, il y auroit eu peu de monde.

Sitôt que le prince de Condé avoit commencé à conter les sentiments de monsieur de Nemours sur le bal,

madame de Clèves avoit senti une grande envie de ne
point aller à celui du maréchal de Saint-André. Elle
entra aisément dans l'opinion qu'il ne falloit pas aller
chez un homme dont on étoit aimée, et elle fut bien
aise d'avoir une raison de sévérité pour faire une chose
qui étoit une faveur pour monsieur de Nemours; elle
emporta neanmoins la parure que lui avoit donnée la
reine dauphine; mais le soir, lorsqu'elle la montra à
sa mère, elle lui dit qu'elle n'avoit pas dessein de
s'en servir; que le maréchal de Saint-André prenoit
tant de soin de faire voir qu'il étoit attaché à elle,
qu'elle ne doutoit point qu'il ne voulût aussi faire croire
qu'elle auroit part au divertissement qu'il devoit donner
au roi, et que, sous prétexte de faire l'honneur de chez
lui, il lui rendroit des soins dont peut-être elle seroit
embarrassée.

Madame de Chartres combattit quelque temps l'opinion de sa fille comme la trouvant particulière: mais,
voyant qu'elle s'y opiniâtroit, elle s'y rendit, et lui dit
qu'il falloit donc qu'elle fît la malade pour avoir un
prétexte de n'y pas aller, parce que les raisons qui l'en
empêchoient ne seroient pas approuvées, et qu'il falloit
même empêcher qu'on ne les soupçonnât. Madame de
Clèves consentit volontiers à passer quelques jours chez
elle pour ne point aller dans un lieu où monsieur de
Nemours ne devoit pas être; et il partit sans avoir le
plaisir de savoir qu'elle n'iroit pas.

Il revint le lendemain du bal, et sut qu'elle ne s'y
étoit pas trouvée; mais, comme il ne savoit pas que
l'on eût redit devant elle la conversation de chez le
roi dauphin, il étoit bien éloigné de croire qu'il fût
assez heureux pour l'avoir empêchée d'y aller.

Le lendemain, comme il étoit chez la reine, et qu'il
parloit à madame la dauphine, madame de Chartres et
madame de Clèves y vinrent, et s'approchèrent de cette

princesse. Madame de Clèves étoit un peu négligée,
comme une personne qui s'étoit trouvée mal; mais son
visage ne répondoit pas à son habillement. Vous voilà
si belle, lui dit madame la dauphine, que je ne saurois
croire que vous ayez été malade. Je pense que monsieur
le prince de Condé, en vous contant l'avis de monsieur
de Nemours sur le bal, vous a persuadée que vous
feriez une faveur au maréchal de Saint-André d'aller
chez lui, et que c'est ce qui vous a empêchée d'y venir.
Madame de Clèves rougit de ce que madame la dauphine
devinoit si juste, et de ce qu'elle disoit devant monsieur de Nemours ce qu'elle avoit deviné.

Madame de Chartres vit dans ce moment pourquoi
sa fille n'avoit point voulu aller au bal; et, pour empêcher que monsieur de Nemours ne le jugeât aussi bien
qu'elle, elle prit la parole avec un air qui sembloit
être appuyé sur la vérité. Je vous assure, madame, dit-
elle à madame la dauphine, que Votre Majesté fait plus
d'honneur à ma fille qu'elle n'en mérite. Elle étoit véritablement malade; mais je crois que, si je ne l'en eusse
empêchée, elle n'eût pas laissé de vous suivre et de se
montrer aussi changée qu'elle étoit, pour avoir le plaisir
de voir tout ce qu'il y a eu d'extraordinaire au divertissement d'hier au soir. Madame la dauphine crut ce
que disoit madame de Chartres; monsieur de Nemours
fut bien fâché d'y trouver de l'apparence; néanmoins
la rougeur de madame de Clèves lui fit soupçonner que
ce que madame la dauphine avoit dit n'étoit pas entièrement éloigné de la vérité. Madame de Clèves avoit
d'abord été fâchée que monsieur de Nemours eût eu
lieu de croire que c'étoit lui qui l'avoit empêchée d'aller
chez le maréchal de Saint-André; mais ensuite elle
sentit quelque espèce de chagrin, que sa mère lui en
eût entièrement ôté l'opinion.

Quoique l'assemblée de Cercamp eût été rompue, les

négociations pour la paix avoient toujours continué, et les choses s'y disposèrent d'une telle sorte, que, sur la fin de février, on se rassembla à Cateau-Cambrésis. Les mêmes députés y retournèrent; et l'absence du maréchal de Saint-André défit monsieur de Nemours du rival qui lui étoit le plus redoutable, par l'attention qu'il avoit à observer ceux qui approchoient madame de Clèves, que par le progrès qu'il pouvoit faire auprès d'elle.

Madame de Chartres n'avoit pas voulu laisser voir à sa fille qu'elle connoissoit ses sentiments pour ce prince, de peur de se rendre suspecte sur les choses qu'elle avoit envie de lui dire. Elle se mit un jour à parler de lui; elle lui en dit du bien, et y mêla beaucoup de louanges empoisonnées sur la sagesse qu'il avoit d'être incapable de devenir amoureux, et sur ce qu'il ne se faisoit qu'un plaisir, et non pas un attachement sérieux du commerce des femmes. Ce n'est pas, ajouta-t-elle, qu'on ne l'ait soupçonné d'avoir une grande passion pour la reine dauphine; je vois même qu'il y va très souvent, et je vous conseille d'éviter, autant que vous pourrez, de lui parler, et surtout en particulier, parce que madame la dauphine vous traitant comme elle fait, on diroit bientôt que vous êtes leur confidente, et vous savez combien cette réputation est désagréable. Je suis d'avis, si ce bruit continue, que vous alliez un peu moins chez madame la dauphine, afin de ne vous pas trouver mêlée dans des aventures de galanterie.

Madame de Clèves n'avoit jamais ouï parler de monsieur de Nemours et de madame la dauphine: elle fut si surprise de ce que lui dit sa mère, et elle crut si bien voir combien elle s'étoit trompée dans tout ce qu'elle avoit pensé des sentiments de ce prince, qu'elle en changea de visage. Madame de Chartres s'en aperçut:

il vint du monde dans ce moment, madame de Clèves
s'en alla chez elle, et s'enferma dans son cabinet.

L'on ne peut exprimer la douleur qu'elle sentit de
connoître, par ce que lui venoit de dire sa mère, l'intérêt
qu'elle prenoit à monsieur de Nemours: elle n'avoit
encore osé se l'avouer à elle-même. Elle vit alors que
les sentiments qu'elle avoit pour lui étoient ceux que
monsieur de Clèves lui avoit tant demandés; elle trouva
combien il étoit honteux de les avoir pour un autre
que pour un mari qui les méritoit. Elle se sentit blessée
et embarrassée de la crainte que monsieur de Nemours
ne la voulût faire servir de prétexte à madame la dauphine, et cette pensée la détermina à conter à madame
de Chartres ce qu'elle ne lui avoit point encore dit.

Elle alla le lendemain matin dans sa chambre pour
exécuter ce qu'elle avoit résolu; mais elle trouva que
madame de Chartres avoit un peu de fièvre, de sorte
qu'elle ne voulut pas lui parler. Ce mal paroissoit néanmoins si peu de chose, que madame de Clèves ne laissa
pas d'aller l'après-dînée chez madame la dauphine: elle
étoit dans son cabinet avec deux ou trois dames qui
étoient le plus avant dans sa familiarité. Nous parlions
de monsieur de Nemours, lui dit cette reine en la voyant; et nous admirions combien il est changé depuis son
retour de Bruxelles: devant que d'y aller, il avoit un
nombre infini de maîtresses, et c'étoit même un défaut
en lui; car il ménageoit également celles qui avoient du
mérite et celles qui n'en avoient pas: depuis qu'il est
revenu, il ne reconnoît ni les unes ni les autres; il n'y
a jamais eu un si grand changement; je trouve même
qu'il y en a dans son humeur, et qu'il est moins gai que
de coutume.

Madame de Clèves ne répondit rien, et elle pensoit
avec honte qu'elle auroit pris tout ce que l'on disoit du
changement de ce prince pour des marques de sa pas-

sion, si elle n'avoit point été détrompée. Elle se sentoit
quelque aigreur contre madame la dauphine de lui voir
chercher des raisons, et s'étonner d'une chose dont apparemment elle savoit mieux la vérité que personne. Elle
ne put s'empêcher de lui en témoigner quelque chose;
et, comme les autres dames s'éloignèrent, elle s'approcha d'elle, et lui dit tout bas: Est-ce aussi pour
moi, madame, que vous venez de parler? et voudriez-
vous me cacher que vous fussiez celle qui a fait changer
de conduite à monsieur de Nemours? Vous êtes injuste,
lui dit madame la dauphine; vous savez que je n'ai
rien de caché pour vous. Il est vrai que monsieur de
Nemours, devant que d'aller à Bruxelles, a eu, je crois,
intention de me laisser entendre qu'il ne me haïssoit pas;
mais, depuis qu'il est revenu, il ne m'a pas même paru
qu'il se souvînt des choses qu'il avoit faites: et j'avoue
que j'ai de la curiosité de savoir ce qui l'a fait changer.
Il sera bien difficile que je ne le démêle, ajouta-t-elle: le
vidame de Chartres, qui est son ami intime, est amoureux d'une personne sur qui j'ai quelque pouvoir, et je
saurai par ce moyen ce qui a fait ce changement. Madame la dauphine parla d'un air qui persuada madame
de Clèves, et elle se trouva, malgré elle, dans un état
plus calme et plus doux que celui où elle étoit auparavant.

Lorsqu'elle revint chez sa mère, elle sut qu'elle étoit
beaucoup plus mal qu'elle ne l'avoit laissée. La fièvre
lui avoit redoublé, et, les jours suivants, elle augmenta
de telle sorte, qu'il parut que ce seroit une maladie
considérable. Madame de Clèves étoit dans une affliction extrême, elle ne sortoit point de la chambre de
sa mère: monsieur de Clèves y passoit aussi presque
tous les jours, et par l'intérêt qu'il prenoit à madame
de Chartres, et pour empêcher sa femme de s'abandonner

à la tristesse, mais pour avoir aussi le plaisir de la voir:
sa passion n'étoit point diminuée.

Monsieur de Nemours, qui avoit toujours eu beaucoup
d'amitié pour lui, n'avoit pas cessé de lui en témoigner
depuis son retour de Bruxelles. Pendant la maladie de
madame de Chartres, ce prince trouva le moyen de voir
plusieurs fois madame de Clèves, en faisant semblant
de chercher son mari, ou de le venir prendre pour le
mener promener. Il le cherchoit même à des heures où
il savoit bien qu'il n'y étoit pas, et, sous le prétexte
de l'attendre, il demeuroit dans l'antichambre de madame de Chartres, où il y avoit toujours plusieurs personnes de qualité. Madame de Clèves y venoit souvent,
et, pour être affligée, elle n'en paroissoit pas moins belle
à monsieur de Nemours. Il lui faisoit voir combien il
prenoit d'intérêt à son affliction, et il lui en parloit
avec un air si soumis, qu'il la persuadoit aisément que
ce n'étoit pas de madame la dauphine dont il étoit
amoureux.

Elle ne pouvoit s'empêcher d'être troublée de sa vue,
et d'avoir pourtant du plaisir à le voir; mais, quand elle
ne le voyoit plus, et qu'elle pensoit que ce charme qu'elle
trouvoit dans sa vue étoit le commencement des passions, il s'en falloit peu qu'elle ne crût le haïr par la
douleur que lui donnoit cette pensée.

Madame de Chartres empira si considérablement, que
l'on commença à désespérer de sa vie; elle reçut ce que
les médecins lui dirent du péril où elle étoit, avec un
courage digne de sa vertu et de sa piété. Après qu'ils
furent sortis, elle fit retirer tout le monde, et appeler
madame de Clèves.

Il faut nous quitter, ma fille, lui dit-elle, en lui ten-
dant la main; le péril où je vous laisse, et le besoin que
vous avez de moi, augmente le déplaisir que j'ai de
vous quitter. Vous avez de l'inclination pour monsieur

de Nemours; je ne vous demande point de me l'avouer:
je ne suis plus en état de me servir de votre sincérité
pour vous conduire. Il y a déjà longtemps que je me
suis aperçue de cette inclination; mais je ne vous en
ai pas voulu parler d'abord de peur de vous en faire
apercevoir vous-même. Vous ne la connoissez que trop
présentement; vous êtes sur le bord du précipice: il
faut de grands efforts et de grandes violences pour vous
retenir. Songez ce que vous devez à votre mari; songez
ce que vous vous devez à vous-même, et pensez que
vous allez perdre cette réputation que vous vous êtes
acquise, et que je vous ai tant souhaitée. Ayez de la
force et du courage, ma fille; retirez-vous de la cour;
obligez votre mari de vous emmener; ne craignez point
de prendre des partis trop rudes et trop difficiles: quelque affreux qu'ils vous paroissent d'abord, ils seront
plus doux dans les suites que les malheurs d'une galanterie. Si d'autres raisons que celles de la vertu et de
votre devoir vous pouvoient obliger à ce que je souhaite, je vous dirois que, si quelque chose étoit capable
de troubler le bonheur que j'espère en sortant de ce
monde, ce seroit de vous voir tomber, comme les autres
femmes; mais, si ce malheur vous doit arriver, je
reçois la mort avec joie, pour n'en être pas le témoin.

Madame de Clèves fondoit en larmes sur la main de
sa mère, qu'elle tenoit serrée entre les siennes, et madame de Chartres se sentant touchée elle-même: Adieu,
ma fille, lui dit-elle, finissons une conversation qui nous
attendrit trop l'une et l'autre, et souvenez-vous, si
vous pouvez, de tout ce que je viens de vous dire.

Elle se tourna de l'autre côté en achevant ces paroles,
et commanda à sa fille d'appeler ses femmes, sans vouloir l'écouter, ni parler davantage. Madame de Clèves
sortit de la chambre de sa mère en l'état que l'on peut
s'imaginer, et madame de Chartres ne songea plus qu'à

se préparer à la mort. Elle vécut encore deux jours, pendant lesquels elle ne voulut plus revoir sa fille, qui étoit la seule chose à quoi elle se sentoit attachée.

Madame de Clèves étoit dans une affliction extrême; son mari ne la quittoit point, et, sitôt que madame de Chartres fut expirée, il l'emmena à la campagne, pour l'éloigner d'un lieu qui ne faisoit qu'aigrir sa douleur. On n'en a jamais vu de pareille: quoique la tendresse et la reconnoissance y eussent la plus grande part, le besoin qu'elle sentoit qu'elle avoit de sa mère, pour se défendre contre monsieur de Nemours, ne laissoit pas d'y en avoir beaucoup. Elle se trouvoit malheureuse d'être abandonnée à elle-même, dans un temps où elle étoit si peu maîtresse de ses sentiments, et où elle eût tant souhaité d'avoir quelqu'un qui pût la plaindre et lui donner la force. La manière dont monsieur de Clèves en usoit pour elle, lui faisoit souhaiter plus fortement que jamais, de ne manquer à rien de ce qu'elle lui devoit. Elle lui témoignoit aussi plus d'amitié et plus de tendresse qu'elle n'avoit encore fait; elle ne vouloit point qu'il la quittât, et il lui sembloit qu'à force de s'attacher à lui, il la défendroit contre monsieur de Nemours.

Ce prince vint voir monsieur de Clèves à la campagne; il fit ce qu'il put pour rendre aussi une visite à madame de Clèves; mais elle ne le voulut point recevoir: et, sentant bien qu'elle ne pouvoit s'empêcher de le trouver aimable, elle avoit fait une forte résolution de s'empêcher de le voir, et d'en éviter toutes les occasions qui dépendroient d'elle.

Monsieur de Clèves vint à Paris pour faire sa cour et promit à sa femme de s'en retourner le lendemain; il ne revint cependant que le jour d'après. Je vous attendis tout hier, lui dit madame de Clèves, lorsqu'il arriva; et je vous dois faire des reproches de n'être pas

venu, comme vous me l'aviez promis. Vous savez que, si
je pouvois sentir une nouvelle affliction en l'état où je
suis, ce seroit la mort de madame de Tournon, que j'ai
apprise ce matin: j'en aurois été touchée quand je ne
l'aurois point connue: c'est toujours une chose digne de
pitié, qu'une femme jeune et belle comme celle-là soit
morte en deux jours; mais de plus, c'étoit une des personnes du monde qui me plaisoit davantage, et qui paroissoit avoir autant de sagesse que de mérite.

Je fus très fâché de ne pas revenir hier, répondit
monsieur de Clèves; mais j'étois si nécessaire à la consolation d'un malheureux, qu'il m'étoit impossible de le
quitter. Pour madame de Tournon, je ne vous conseille
pas d'en être affligée, si vous la regrettez comme une
femme pleine de sagesse, et digne de votre estime. Vous
m'étonnez, reprit madame de Clèves, et je vous ai ouï
dire plusieurs fois qu'il n'y avoit point de femme à la
cour que vous estimassiez davantage. Il est vrai, répondit-il; mais les femmes sont incompréhensibles, et,
quand je les vois toutes, je me trouve si heureux de
vous avoir, que je ne saurois assez admirer mon bonheur. Vous m'estimez plus que je ne vaux, répliqua
madame de Clèves en soupirant, et il n'est pas encore
temps de me trouver digne de vous. Apprenez-moi, je
vous en supplie, ce qui vous a détrompé de madame
de Tournon. Il y a longtemps que je le suis, répliqua-
t-il, et que je sais qu'elle aimoit le comte de Sancerre,
à qui elle donnoit des espérances de l'épouser. Je ne
saurois croire, interrompit madame de Clèves, que madame de Tournon, après cet éloignement si extraordinaire qu'elle a témoigné pour le mariage depuis qu'elle
est veuve, et après les déclarations publiques qu'elle
a faites de ne se remarier jamais, ait donné des espérances à Sancerre. Si elle n'en eût donné qu'à lui,

répliqua monsieur de Clèves, il ne faudroit pas s'étonner ; mais ce qu'il y a de surprenant, c'est qu'elle en donnoit aussi à Estouteville dans le même temps : et je vais vous apprendre toute cette histoire.

SECONDE PARTIE

Vous savez l'amitié qu'il y a entre Sancerre et moi;
néanmoins il devint amoureux de madame de Tournon,
il y a environ deux ans, et me le cacha avec beaucoup
de soin, aussi bien qu'à tout le reste du monde; j'étois
bien éloigné de le soupçonner. Madame de Tournon
paroissoit encore inconsolable de la mort de son mari,
et vivoit dans une retraite austère. La sœur de Sancerre
étoit quasi la seule personne qu'elle vît, et c'étoit chez
elle qu'il en étoit devenu amoureux.

Un soir qu'il devoit y avoir une comédie au Louvre,
et que l'on n'attendoit plus que le roi et madame de
Valentinois pour commencer, l'on vint dire qu'elle s'étoit
trouvée mal et que le roi ne viendroit pas. On jugea
aisément que le mal de cette duchesse étoit quelque
démêlé avec le roi: nous savions les jalousies qu'il avoit
eues du maréchal de Brissac, pendant qu'il avoit été à
la cour; mais il étoit retourné en Piémont depuis quelques jours, et nous ne pouvions imaginer le sujet de
cette brouillerie.

Comme j'en parlois avec Sancerre, monsieur d'Anville arriva dans la salle, et me dit tout bas que le roi
étoit dans une affliction et dans une colère qui faisoit
pitié; qu'en un raccommodement qui s'étoit fait entre lui
et madame de Valentinois, il y avoit quelques jours,
sur des démêlés qu'ils avoient eus pour le maréchal
de Brissac, le roi lui avoit donné une bague, et l'avoit
priée de la porter; que, pendant qu'elle s'habilloit pour
venir à la comédie, il avoit remarqué qu'elle n'avoit

point cette bague, et lui en avoit demandé la raison; qu'elle avoit paru étonnée de ne la pas avoir, qu'elle l'avoit demandée à ses femmes, lesquelles, par malheur, ou faute d'être bien instruites, avoient répondu qu'il y avoit quatre ou cinq jours qu'elles ne l'avoient vue.

Ce temps est précisément celui du départ du maréchal de Brissac, continua monsieur d'Anville; le roi n'a point douté qu'elle ne lui ait donné la bague en lui disant adieu. Cette pensée a réveillé si vivement toute cette jalousie, qui n'étoit pas encore bien éteinte, qu'il s'est emporté contre son ordinaire, et lui a fait mille reproches. Il vient de rentrer chez lui, très affligé; mais je ne sais s'il l'est davantage de l'opinion que madame de Valentinois a sacrifié sa bague, que de la crainte de lui avoir déplu par sa colère.

Sitôt que monsieur d'Anville eut achevé de me conter cette nouvelle, je me rapprochai de Sancerre pour la lui apprendre; je la lui dis comme un secret que l'on venoit de me confier, et dont je lui défendois de parler.

Le lendemain matin, j'allai d'assez bonne heure chez ma belle-sœur: je trouvai madame de Tournon au chevet de son lit; elle n'aimoit pas madame de Valentinois, et elle savoit bien que ma belle-sœur n'avoit pas sujet de s'en louer. Sancerre avoit été chez elle au sortir de la comédie. Il lui avoit appris la brouillerie du roi avec cette duchesse, et madame de Tournon étoit venue la conter à ma belle-sœur, sans savoir ou sans faire réflexion que c'étoit moi qui l'avois apprise à son amant.

Sitôt que je m'approchai de ma belle-sœur, elle dit à madame de Tournon que l'on pouvoit me confier ce qu'elle venoit de lui dire, et, sans attendre la permission de madame de Tournon, elle me conta, mot pour mot, tout ce que j'avois dit à Sancerre le soir précédent. Vous pouvez juger comme j'en fus étonné. Je regardai madame de Tournon; elle me parut embarrassée. Son

embarras me donna du soupçon; je n'avois dit la chose
qu'à Sancerre; il m'avoit quitté au sortir de la comédie,
sans m'en dire la raison; je me souvins de lui avoir ouï
extrêmement louer madame de Tournon. Toutes ces
choses m'ouvrirent les yeux, et je n'eus pas de peine à
démêler qu'il avoit une galanterie avec elle, et qu'il
l'avoit vue depuis qu'il m'avoit quitté.

Je fus si piqué de voir qu'il cachoit cette aventure,
que je dis plusieurs choses qui firent connoître à madame
de Tournon l'imprudence qu'elle avoit faite; je la remis
à son carrosse, et je l'assurai en la quittant, que j'enviois
le bonheur de celui qui lui avoit appris la brouillerie du
roi et de madame de Valentinois.

Je m'en allai à l'heure même trouver Sancerre; je
lui fis des reproches, et je lui dis que je savois sa
passion pour madame de Tournon, sans lui dire comment je l'avois découverte: il fut contraint de me
l'avouer. Je lui contai ensuite ce qui me l'avoit apprise,
et il m'apprit aussi le détail de leur aventure; il me dit
que, quoiqu'il fût cadet de sa maison, et très éloigné de
pouvoir prétendre un aussi bon parti, que néanmoins elle
étoit résolue de l'épouser. L'on ne peut être plus surpris
que je le fus. Je dis à Sancerre de presser la conclusion
de son mariage, et qu'il n'y avoit rien qu'il ne dût
craindre d'une femme qui avoit l'artifice de soutenir aux
yeux du public un personnage si éloigné de la vérité.
Il me répondit qu'elle avoit été véritablement affligée;
mais que l'inclination qu'elle avoit eue pour lui avoit
surmonté cette affliction, et qu'elle n'avoit pu laisser
paroître tout d'un coup un si grand changement. Il
me dit encore plusieurs autres raisons pour l'excuser,
qui me firent voir à quel point il en étoit amoureux:
il m'assura qu'il la feroit consentir que je susse la passion qu'il avoit pour elle, puisque aussi bien c'étoit elle-
même qui me l'avoit apprise. Il l'y obligea en effet, quoi-

que avec beaucoup de peine, et je fus ensuite très avant dans leur confidence.

Je n'ai jamais vu une femme avoir une conduite si honnête et si agréable à l'égard de son amant; néanmoins j'étois toujours choqué de son affectation à paroître encore affligée. Sancerre étoit si amoureux, et si content de la manière dont elle en usoit pour lui, qu'il n'osoit quasi la presser de conclure leur mariage, de peur qu'elle ne crût qu'il le souhaitoit plutôt par intérêt que par une véritable passion. Il lui en parla toutefois, et elle lui parut résolue à l'épouser; elle commença même à quitter cette retraite où elle vivoit et à se remettre dans le monde: elle venoit chez ma belle-sœur à des heures où une partie de la cour s'y trouvoit. Sancerre n'y venoit que rarement; mais ceux qui y étoient tous les soirs, et qui l'y voyoient souvent, la trouvoient très aimable.

Peu de temps après qu'elle eut commencé à quitter la solitude, Sancerre crut voir quelque refroidissement dans la passion qu'elle avoit pour lui. Il m'en parla plusieurs fois, sans que je fisse aucun fondement sur ses plaintes; mais à la fin, comme il me dit qu'au lieu d'achever leur mariage, elle sembloit l'éloigner, je commençai à croire qu'il n'avoit pas de tort d'avoir de l'inquiétude: je lui répondis que, quand la passion de madame de Tournon diminueroit après avoir duré deux ans, il ne faudroit pas s'en étonner; que, quand même, sans être diminuée, elle ne seroit pas assez forte pour l'obliger à l'épouser, il ne devroit pas s'en plaindre; que ce mariage, à l'égard du public, lui feroit un extrême tort, non-seulement parce qu'il n'étoit pas un assez bon parti pour elle, mais par le préjudice qu'il apporteroit à sa réputation; qu'ainsi tout ce qu'il pouvoit souhaiter étoit qu'elle ne le trompât point, et qu'elle ne lui donnât pas de fausses espérances. Je lui dis encore que si elle n'avoit pas la force de l'épouser, ou qu'elle lui avouât qu'elle en aimoit quelque autre, il ne falloit point qu'il s'emportât, ni qu'il se plaignît; mais qu'il devroit conserver pour elle de l'estime et de la reconnoissance.

Je vous donne, lui dis-je, le conseil que je prendrois pour moi-même: car la sincérité me touche d'une telle sorte, que je crois que, si ma maîtresse, et même ma femme, m'avouoit que quelqu'un lui plût, j'en serois affligé sans en être aigri; je quitterois le personnage d'amant ou de mari, pour la conseiller et pour la plaindre.

Ces paroles firent rougir madame de Clèves, et elle y trouva un certain rapport avec l'état où elle étoit, qui la surprit, et qui lui donna un trouble dont elle fut longtemps à se remettre.

Sancerre parla à madame de Tournon, continua monsieur de Clèves; il lui dit tout ce que je lui avois conseillé; mais elle le rassura avec tant de soin, et parut si offensée de ses soupçons, qu'elle les lui ôta entièrement. Elle remit néanmoins leur mariage après un voyage qu'il alloit faire, et qui devoit être assez long; mais elle se conduisit si bien jusqu'à son départ et en parut si affligée, que je crus, aussi bien que lui, qu'elle l'aimoit véritablement. Il partit, il y a environ trois mois: pendant son absence, j'ai peu vu madame de Tournon; vous m'avez entièrement occupé, et je savois seulement qu'il devoit bientôt revenir.

Avant-hier, en arrivant à Paris, j'appris qu'elle étoit morte; j'envoyai savoir chez lui si on n'avoit point eu de ses nouvelles; on me manda qu'il étoit arrivé dès la veille, qui étoit précisément le jour de la mort de madame de Tournon. J'allai le voir à l'heure même, me doutant bien de l'état où je le trouverois; mais son affliction passoit de beaucoup ce que je m'en étois imaginé.

Je n'ai jamais vu une douleur si profonde et si tendre: dès le moment qu'il me vit, il m'embrassa, fondant en larmes; Je ne la verrai plus, me dit-il, je ne la verrai plus, elle est morte! je n'en étois pas digne; mais je la suivrai bientôt.

Après cela il se tut; et puis, de temps en temps, redisant toujours: elle est morte, et je ne la verrai plus! il revenoit aux cris et aux larmes, et demeuroit comme un homme qui n'avoit plus de raison. Il me dit qu'il n'avoit pas reçu souvent de ses lettres pendant son absence, mais qu'il ne s'en étoit pas étonné, parce qu'il la connoissoit et qu'il savoit la peine qu'elle avoit à hasarder de ses lettres. Il ne doutoit point qu'il ne l'eût épousée à son retour; il la regardoit comme la plus aimable et la plus fidèle personne qui eût jamais été; il s'en croyoit tendrement aimé, il la perdoit dans le moment qu'il pensoit s'attacher à elle pour jamais. Toutes ces pensées le plongeoient dans une affliction violente, dont il étoit entièrement accablé, et j'avoue que je ne pouvois m'empêcher d'en être touché.

Je fus néanmoins contraint de le quitter pour aller chez le roi; je lui promis que je reviendrois bientôt. Je revins en effet, et je ne fus jamais si surpris que de le trouver tout différent de ce que je l'avois quitté. Il étoit debout dans sa chambre, avec un visage furieux, marchant et s'arrêtant comme s'il eût été hors de lui-même. Venez, venez, me dit-il, venez voir l'homme du monde le plus désespéré: je suis plus malheureux mille fois que je n'étois tantôt, et ce que je viens d'apprendre de madame de Tournon est pire que sa mort.

Je crus que la douleur le troubloit entièrement, et je ne pouvois m'imaginer qu'il y eût quelque chose de pire que la mort d'une maîtresse que l'on aime, et dont on

est aimé. Je lui dis que, tant que son affliction avoit eu
des bornes, je l'avois approuvée, et que j'y étois entré;
mais que je ne le plaindrois plus, s'il s'abandonnoit au
désespoir et s'il perdoit la raison. Je serois trop heureux
de l'avoir perdue, et la vie, s'écria-t-il; madame de
Tournon m'étoit infidèle, et j'apprends son infidélité et
sa trahison le lendemain que j'ai appris sa mort, dans
un temps où mon âme est remplie et pénétrée de la plus
vive douleur et de la plus tendre amour que l'on ait
jamais sentie; dans un temps où son idée est dans mon
cœur, comme la plus parfaite chose qui ait jamais été,
et la plus parfaite à mon égard; je trouve que je me
suis trompé, et qu'elle ne mérite pas que je la pleure;
cependant j'ai la même affliction de sa mort que si elle
m'étoit fidèle, et je sens son infidélité comme si elle
n'étoit point morte. Si j'avois appris son changement
devant sa mort, la jalousie, la colère, la rage m'auroient
rempli, et m'auroient endurci en quelque sorte contre
la douleur de sa perte; mais je suis dans un état où je
ne puis ni m'en consoler ni la haïr.

Vous pouvez juger si je fus surpris de ce que me
disoit Sancerre; je lui demandai comment il avoit su
ce qu'il venoit de me dire. Il me conta qu'un moment
après que j'étois sorti de sa chambre, Estouteville, qui
est son ami intime, mais qui ne savoit pourtant rien
de son amour pour madame de Tournon, l'étoit venu
voir; que d'abord qu'il avoit été assis, il avoit commencé
à pleurer, et qu'il avoit dit qu'il lui demandoit pardon
de lui avoir caché ce qu'il lui alloit apprendre; qu'il le
prioit d'avoir pitié de lui; qu'il venoit lui ouvrir son cœur,
et qu'il voyoit l'homme du monde le plus affligé de la
mort de madame de Tournon.

Ce nom, me dit Sancerre, m'a tellement surpris que,
quoique mon premier mouvement ait été de lui dire que
j'en étois plus affligé que lui, je n'ai pas eu néanmoins la

force de parler. Il a continué, et m'a dit qu'il étoit amoureux d'elle depuis six mois; qu'il avoit toujours voulu me le dire, mais qu'elle le lui avoit défendu expressément, et avec tant d'autorité, qu'il n'avoit osé lui désobéir; qu'il lui avoit plu quasi dans le même temps qu'il l'avoit aimée; qu'ils avoient caché leur passion à tout le monde; qu'il n'avoit jamais été chez elle publiquement; qu'il avoit eu le plaisir de la consoler de la mort de son mari, et qu'enfin il l'alloit épouser dans le temps qu'elle étoit morte, mais que ce mariage, qui étoit un effet de passion, auroit paru un effet de devoir et d'obéissance; qu'elle avoit gagné son père pour se faire commander de l'épouser, afin qu'il n'y eût pas un trop grand changement dans sa conduite, qui avoit été si éloignée de se remarier.

Tant qu'Estouteville m'a parlé, me dit Sancerre, j'ai ajouté foi à ses paroles, parce que j'y ai trouvé de la vraisemblance, et que le temps où il m'a dit qu'il avoit commencé à aimer madame de Tournon est précisément celui où elle m'a paru changée; mais, un moment après, je l'ai cru un menteur, ou du moins un visionnaire: j'ai été prêt à le lui dire; j'ai pensé ensuite à vouloir m'éclaircir, je l'ai questionné; je lui ai fait paroître des doutes; enfin j'ai tant fait pour m'assurer de mon malheur, qu'il m'a demandé si je connoissois l'écriture de madame de Tournon; il a mis sur mon lit quatre de ses lettres et son portrait: mon frère est entré dans ce moment. Estouteville avoit le visage si plein de larmes, qu'il a été contraint de sortir pour ne se pas laisser voir; il m'a dit qu'il reviendroit ce soir requérir ce qu'il me laissoit; et moi je chassai mon frère, sur le prétexte de me trouver mal, par l'impatience de voir ces lettres que l'on m'avoit laissées, et espérant d'y trouver quelque chose qui ne me persuaderoit pas tout ce qu'Estouteville venoit de me dire. Mais hélas! que n'y ai-je point

trouvé! Quelle tendresse! quels serments! quelles assurances de l'épouser! quelles lettres! Jamais elle ne
m'en a écrit de semblables. Ainsi, ajouta-t-il, j'éprouve
à la fois la douleur de la mort et celle de l'infidélité;
ce sont deux maux que l'on a souvent comparés, mais
qui n'ont jamais été sentis en même temps par la même
personne. J'avoue, à ma honte, que je sens encore plus
sa perte que son changement; je ne puis la trouver
assez coupable pour consentir à sa mort. Si elle vivoit,
j'aurois le plaisir de lui faire des reproches et de me
venger d'elle, en lui faisant connoître son injustice;
mais je ne la verrai plus, reprenoit-il, je ne la verrai
plus; ce mal est le plus grand de tous les maux; je
souhaiterois de lui rendre la vie aux dépens de la mienne.
Quel souhait! si elle revenoit, elle vivroit pour Estouteville. Que j'étois heureux hier! s'écrioit-il, que j'étois
heureux; j'étois l'homme du monde le plus affligé, mais
mon affliction étoit raisonnable, et je trouvois quelque
douceur à penser que je ne devois jamais me consoler.
Aujourd'hui, tous mes sentiments sont injustes; je paye
à une passion feinte qu'elle a eue pour moi le même
tribut de douleur que je croyois devoir à une passion
véritable. Je ne puis ni haïr ni aimer sa mémoire; je
ne puis me consoler ni m'affliger: du moins, me dit-il
en se retournant tout d'un coup vers moi, faites, je
vous en conjure, que je ne voie jamais Estouteville:
son nom seul me fait horreur. Je sais bien que je n'ai
nul sujet de m'en plaindre; c'est ma faute de lui avoir
caché que j'aimois madame de Tournon; s'il l'eût su,
il ne s'y seroit peut-être pas attaché, elle ne m'auroit
pas été infidèle; il est venu me chercher pour me confier
sa douleur; il me fait pitié. Eh! c'est avec raison,
s'écrioit-il. Il aimoit madame de Tournon; il en étoit
aimé, et il ne la verra jamais; je sens bien néanmoins
que je ne saurois m'empêcher de le haïr. Et encore une

fois je vous conjure de faire en sorte que je ne le voie point.

Sancerre se remit ensuite à pleurer, à regretter madame de Tournon, à lui parler et à lui dire les choses du monde les plus tendres: il repassa ensuite à la haine, aux plaintes, aux reproches et aux imprécations contre elle. Comme je le vis dans un état si violent, je connus bien qu'il me falloit quelque secours pour m'aider à calmer son esprit; j'envoyai quérir son frère, que je venois de quitter chez le roi: j'allai lui parler dans l'antichambre, avant qu'il entrât, et je lui contai l'état où étoit Sancerre. Nous donnâmes des ordres pour empêcher qu'il ne vît Estouteville, et nous employâmes une partie de la nuit à tâcher de le rendre capable de raison. Ce matin, je l'ai encore trouvé plus affligé: son frère est demeuré auprès de lui, et je suis revenue auprès de vous.

L'on ne peut être plus surprise que je le suis, dit alors madame de Clèves, et je croyois madame de Tournon incapable d'amour et de tromperie. L'adresse et la dissimulation, reprit monsieur de Clèves, ne peuvent aller plus loin qu'elle les a portées. Remarquez que, quand Sancerre crut qu'elle étoit changée pour lui, elle l'étoit véritablement, et qu'elle commençoit à aimer Estouteville. Elle disoit à ce dernier qu'il la consoloit de la mort de son mari, et que c'étoit lui qui étoit cause qu'elle quittoit cette grande retraite, et il paroissoit à Sancerre que c'étoit parce que nous avions résolu qu'elle ne témoigneroit plus d'être si affligée. Elle faisoit valoir à Estouteville de cacher leur intelligence, et de paroître obligée à l'épouser par le commandement de son père, comme un effet du soin qu'elle avoit de sa réputation, et c'étoit pour abandonner Sancerre sans qu'il eût sujet de s'en plaindre. Il faut que je m'en retourne, continua monsieur de Clèves, pour voir ce malheureux, et je crois

qu'il faut que vous reveniez aussi à Paris. Il est temps
que vous voyiez le monde, et que vous receviez ce nombre
infini de visites, dont aussi bien vous ne sauriez vous
dispenser.

Madame de Clèves consentit à son retour, et elle revint
le lendemain. Elle se trouva plus tranquille sur monsieur
de Nemours qu'elle n'avoit été; tout ce que lui avoit dit
madame de Chartres en mourant et la douleur de sa
mort avoit fait une suspension à ses sentiments, qui lui
faisoit croire qu'ils étoient entièrement effacés.

Dès le même soir qu'elle fut arrivée, madame la dauphine la vint voir, et, après lui avoir témoigné la part
qu'elle avoit prise à son affliction, elle lui dit que, pour
la détourner de ses tristes pensées, elle vouloit l'instruire
de tout ce qui s'étoit passé à la cour en son absence:
elle lui conta ensuite plusieurs choses particulières.
Mais ce que j'ai le plus d'envie de vous apprendre,
ajouta-t-elle, c'est qu'il est certain que monsieur de
Nemours est passionnément amoureux, et que ses amis
les plus intimes, non seulement ne sont point dans sa
confidence, mais qu'ils ne peuvent deviner qui est la
personne qu'il aime. Cependant cet amour est assez fort
pour lui faire négliger, ou abandonner, pour mieux dire,
les espérances d'une couronne.

Madame la dauphine conta ensuite tout ce qui s'étoit
passé sur l'Angleterre. J'ai appris ce que je viens de
vous dire, continua-t-elle, de monsieur d'Anville; et il
m'a dit ce matin que le roi envoya quérir, hier au soir,
monsieur de Nemours, sur des lettres de Lignerolles,
qui demande à revenir, et qui écrit au roi qu'il ne peut
plus soutenir auprès de la reine d'Angleterre les re-
tardements de monsieur de Nemours; qu'elle commence
à s'en offenser, et qu'encore qu'elle n'eût point donné
de parole positive, elle en avoit assez dit pour faire
hasarder un voyage. Le roi lut cette lettre à monsieur

de Nemours, qui, au lieu de parler sérieusement, comme il avoit fait dans les commencements, ne fit que rire, que badiner, et se moquer des espérances de Lignerolles. Il dit que toute l'Europe condamneroit son imprudence, s'il hasardoit d'aller en Angleterre comme un prétendu mari de la reine, sans être assuré du succès. Il me semble aussi, ajouta-t-il, que je prendrois mal mon temps, de faire ce voyage présentement que le roi d'Espagne fait de si grandes instances pour épouser cette reine. Ce ne seroit peut-être pas un rival bien redoutable dans une galanterie; mais je pense que dans un mariage Votre Majesté ne me conseilleroit pas de lui disputer quelque chose. Je vous le conseillerois en cette occasion, reprit le roi; mais vous n'aurez rien à lui disputer; je sais qu'il a d'autres pensées; et quand il n'en auroit pas, la reine Marie s'est trop mal trouvée du joug de l'Espagne pour croire que sa sœur le veuille reprendre, et qu'elle se laisse éblouir par l'éclat de tant de couronnes jointes ensemble. Si elle ne s'en laisse pas éblouir, repartit monsieur de Nemours, il y a apparence qu'elle voudra se rendre heureuse par l'amour. Elle a aimé le milord Courtenay il y a déjà quelques années; il étoit aussi aimé de la reine Marie, qui l'auroit épousé du consentement de toute l'Angleterre, sans qu'elle connût que la jeunesse et la beauté de sa sœur Élisabeth le touchoient davantage que l'espérance de régner. Votre Majesté sait que les violentes jalousies qu'elle en eut la portèrent à les mettre l'un et l'autre en prison, à exiler ensuite le milord Courtenay, et la déterminèrent enfin à épouser le roi d'Espagne. Je crois qu'Élisabeth, qui est présentement sur le trône, rappellera bientôt ce milord, et qu'elle choisira un homme qu'elle a aimé, qui est fort aimable, qui a tant souffert pour elle, plutôt qu'un autre qu'elle n'a jamais vu. Je serois de votre avis, repartit le roi, si Courtenay vivoit encore; mais j'ai su, depuis quelques

jours, qu'il est mort à Padoue, où il étoit relégué. Je
vois bien, ajouta-t-il en quittant monsieur de Nemours,
qu'il faudroit faire votre mariage comme on feroit celui
de monsieur le dauphin, et envoyer épouser la reine
d'Angleterre par des ambassadeurs.

Monsieur d'Anville et monsieur le vidame, qui étoient
chez le roi avec monsieur de Nemours, sont persuadés
que c'est cette même passion dont il est occupé qui le
détourne d'un si grand dessein. Le vidame, qui le voit
de plus près que personne, a dit à madame de Martigues que ce prince est tellement changé qu'il ne le
reconnoît plus ; et, ce qui l'étonne davantage, c'est qu'il
ne lui voit aucun commerce, ni aucunes heures particulières où il se dérobe, en sorte qu'il croit qu'il n'a point
d'intelligence avec la personne qu'il aime ; et c'est ce qui
fait méconnoître monsieur de Nemours de lui voir
aimer une femme qui ne répond point à son amour.

Quel poison pour madame de Clèves, que le discours
de madame la dauphine ! Le moyen de ne se pas reconnoître pour cette personne dont on ne savoit point le
nom ! et le moyen de n'être pas pénétrée de reconnoissance et de tendresse, en apprenant, par une voie qui
ne lui pouvoit être suspecte, que ce prince, qui touchoit
déjà son cœur, cachoit sa passion à tout le monde, et
négligeoit, pour l'amour d'elle, les espérances d'une
couronne ! Aussi ne peut-on représenter ce qu'elle sentit,
et le trouble qui s'éleva dans son âme. Si madame la
dauphine l'eût regardée avec attention, elle eût aisément remarqué que les choses qu'elle venoit de dire
ne lui étoient pas indifférentes ; mais comme elle n'avoit
aucun soupçon de la vérité, elle continua de parler,
sans y faire de réflexion. Monsieur d'Anville, ajouta-t-
elle, qui, comme je vous viens de dire, m'a appris tout
ce détail, m'en croit mieux instruite que lui, et il a une
si grande opinion de mes charmes, qu'il est persuadé

que je suis la seule personne qui puisse faire de si grands changements en monsieur de Nemours.

Ces dernières paroles de madame la dauphine donnèrent une autre sorte de trouble à madame de Clèves, que celui qu'elle avoit eu quelques moments auparavant. Je serois aisément de l'avis de monsieur d'Anville, répondit-elle; et il y a beaucoup d'apparence, madame, qu'il ne faut pas moins qu'une princesse telle que vous, pour faire mépriser la reine d'Angleterre. Je vous l'avouerois, si je le savois, repartit madame la dauphine, et je le saurois, s'il étoit véritable. Ces sortes de passions n'échappent point à la vue de celles qui les causent: elles s'en aperçoivent les premières. Monsieur de Nemours ne m'a jamais témoigné que de légères complaisances; mais il y a néanmoins une si grande différence de la manière dont il a vécu avec moi, à celle dont il y vit présentement, que je puis vous répondre que je ne suis pas la cause de l'indifférence qu'il a pour la couronne d'Angleterre.

Je m'oublie avec vous, ajouta madame la dauphine, et je ne me souviens pas qu'il faut que j'aille voir Madame. Vous savez que la paix est quasi conclue; mais vous ne savez pas que le roi d'Espagne n'a voulu passer aucun article qu'à condition d'épouser cette princesse, au lieu du prince don Carlos, son fils. Le roi a eu beaucoup de peine à s'y résoudre: enfin il y a consenti, et il est allé tantôt annoncer cette nouvelle à Madame. Je crois qu'elle sera inconsolable; ce n'est pas une chose qui puisse plaire d'épouser un homme de l'âge et de l'humeur du roi d'Espagne, surtout à elle qui a toute la joie que donne la première jeunesse jointe à la beauté, et qui s'attendoit d'épouser un jeune prince, pour qui elle a de l'inclination sans l'avoir vu. Je ne sais si le roi en elle trouvera toute l'obéissance qu'il désire: il m'a chargée de la voir, parce qu'il sait qu'elle m'aime, et

qu'il croit que j'aurai quelque pouvoir sur son esprit.
Je ferai ensuite une autre visite bien différente; j'irai
me réjouir avec Madame, sœur du roi. Tout est arrêté
pour son mariage avec monsieur de Savoie; et il sera
ici dans peu de temps. Jamais personne de l'âge de
cette princesse n'a eu une joie si entière de se marier.
La cour va être plus belle et plus grosse qu'on ne l'a
jamais vue, et, malgré votre affliction, il faut que vous
veniez nous aider à faire voir aux étrangers que nous
n'avons pas de médiocres beautés.

Après ces paroles, madame la dauphine quitta madame
de Clèves, et, le lendemain, le mariage de Madame fut
su de tout le monde. Les jours suivants, le roi et les
reines allèrent voir madame de Clèves. Monsieur de
Nemours, qui avoit attendu son retour avec une extrême
impatience, et qui souhaitoit ardemment de lui pouvoir
parler sans témoins, attendit, pour aller chez elle,
l'heure que tout le monde en sortiroit, et qu'apparemment il ne reviendroit plus personne. Il réussit dans
son dessein, et il arriva comme les dernières visites en
sortoient.

Cette princesse étoit sur son lit; il faisoit chaud, et
la vue de monsieur de Nemours acheva de lui donner
une rougeur qui ne diminuoit pas sa beauté. Il s'assit
vis-à-vis d'elle, avec cette crainte et cette timidité que
donnent les véritables passions. Il demeura quelque
temps sans pouvoir parler. Madame de Clèves n'étoit
pas moins interdite, de sorte qu'ils gardèrent assez
longtemps le silence.

Enfin, monsieur de Nemours prit la parole, et lui
fit des compliments sur son affliction; madame de Clèves,
étant bien aise de continuer la conversation sur ce sujet,
parla assez longtemps de la perte qu'elle avoit faite,
et, enfin, elle dit que, quand le temps auroit diminué
la violence de sa douleur, il lui en demeureroit toujours

une si forte impression, que son humeur en seroit
changée. Les grandes afflictions et les passions violentes,
repartit monsieur de Nemours, font de grands changements dans l'esprit; et pour moi, je ne me reconnois pas
depuis que je suis revenu de Flandre. Beaucoup de gens
ont remarqué ce changement, et même madame la dauphine m'en parloit encore hier. Il est vrai, repartit
madame de Clèves, qu'elle l'a remarqué, et je crois lui
en avoir ouï dire quelque chose. Je ne suis pas fâché,
madame, répliqua monsieur de Nemours, qu'elle s'en
soit aperçue; mais je voudrois qu'elle ne fût pas seule à
s'en apercevoir. Il y a des personnes à qui on n'ose
donner d'autres marques de la passion qu'on a pour
elles, que par les choses qui ne les regardent point; et,
n'osant leur faire paroître qu'on les aime, on voudroit
du moins qu'elles vissent que l'on ne veut être aimé de
personne. L'on voudroit qu'elles sussent qu'il n'y a point
de beauté, dans quelque rang qu'elle pût être, que l'on
ne regardât avec indifférence, et qu'il n'y a point de
couronne que l'on voulût acheter au prix de ne les voir
jamais. Les femmes jugent d'ordinaire de la passion
qu'on a pour elles, continua-t-il, par le soin qu'on prend
de leur plaire et de les chercher; mais ce n'est pas une
chose difficile, pour peu qu'elles soient aimables; ce qui
est difficile, c'est de ne s'abandonner pas au plaisir de
les suivre, c'est de les éviter, par la peur de laisser
paroître au public, et quasi à elles-mêmes, les sentiments que l'on a pour elles; et ce qui marque encore
mieux un véritable attachement, c'est de devenir entièrement opposé à ce que l'on étoit, et de n'avoir plus d'ambition, ni de plaisirs, après avoir été toute sa vie occupé
de l'un et de l'autre.

Madame de Clèves entendoit aisément la part qu'elle
avoit à ces paroles. Il lui sembloit qu'elle devoit y répondre et ne les pas souffrir. Il lui sembloit aussi qu'elle

ne devoit pas les entendre, ni témoigner qu'elle les prît
pour elle: elle croyoit devoir parler, et croyoit ne devoir
rien dire. Le discours de monsieur de Nemours lui
plaisoit et l'offensoit quasi également: elle y voyoit la
confirmation de tout ce que lui avoit fait penser madame
la dauphine; elle y trouvoit quelque chose de galant et
de respectueux, mais aussi quelque chose de hardi et de
trop intelligible. L'inclination qu'elle avoit pour ce
prince lui donnoit un trouble dont elle n'étoit pas maîtresse. Les paroles les plus obscures d'un homme qui
plaît, donnent plus d'agitation que des déclarations
ouvertes d'un homme qui ne plaît pas. Elle demeuroit
donc sans répondre, et monsieur de Nemours se fût
aperçu de son silence, dont il n'auroit peut-être pas
tiré de mauvais présages, si l'arrivée de monsieur de
Clèves n'eût fini la conversation et sa visite.

Ce prince venoit conter à sa femme des nouvelles de
Sancerre; mais elle n'avoit pas une grande curiosité pour
la suite de cette aventure. Elle étoit si occupée de ce qui
se venoit de passer, qu'à peine pouvoit-elle cacher la dis-
traction de son esprit. Quand elle fut en liberté de rêver,
elle connut bien qu'elle s'étoit trompée, lorsqu'elle avoit
cru n'avoir plus que de l'indifférence pour monsieur de
Nemours. Ce qu'il lui avoit dit avoit fait toute l'impression qu'il pouvoit souhaiter, et l'avoit entièrement persuadée de sa passion. Les actions de ce prince s'accor-
doient trop bien avec ses paroles, pour laisser quelque
doute à cette princesse. Elle ne se flatta plus de l'espérance de ne le pas aimer; elle songea seulement à ne
lui en donner jamais aucune marque. C'étoit une entreprise difficile, dont elle connoissoit déjà les peines; elle
savoit que le seul moyen d'y réussir étoit d'éviter la
présence de ce prince, et, comme son deuil lui donnoit
lieu d'être plus retirée que de coutume, elle se servit de
ce prétexte pour n'aller plus dans les lieux où il la

pouvoit voir. Elle étoit dans une tristesse profonde; la
mort de sa mère en paroissoit la cause, et l'on n'en
cherchoit point d'autre.

Monsieur de Nemours étoit désespéré de ne la voir
presque plus; et, sachant qu'il ne la trouveroit dans
aucune assemblée et dans aucun des divertissements où
étoit toute la cour, il ne pouvoit se résoudre d'y paroître;
il feignit une passion grande pour la chasse, et il en
faisoit des parties les mêmes jours qu'il y avoit des
assemblées chez les reines. Une légère maladie lui servit
longtemps de prétexte pour demeurer chez lui, et pour
éviter d'aller dans tous les lieux où il savoit bien que
madame de Clèves ne seroit pas.

Monsieur de Clèves fut malade à peu près dans le
même temps. Madame de Clèves ne sortit point de sa
chambre pendant son mal; mais, quand il se porta mieux,
qu'il vit du monde, et entre autres monsieur de Nemours qui, sur le prétexte d'être encore foible, y passoit
la plus grande partie du jour, elle trouva qu'elle n'y
pouvoit plus demeurer; elle n'eut pas néanmoins la force
d'en sortir les premières fois qu'il y vint: il y avoit trop
longtemps qu'elle ne l'avoit vu, pour se résoudre à ne
le voir pas. Ce prince trouva moyen de lui faire entendre
par des discours qui ne sembloient que généraux, mais
qu'elle entendoit néanmoins, parce qu'ils avoient du rapport à ce qu'il lui avoit dit chez elle, qu'il alloit à la
chasse pour rêver, et qu'il n'alloit point aux assemblées,
parce qu'elle n'y étoit pas.

Elle exécuta enfin la résolution qu'elle avoit prise de
sortir de chez son mari, lorsqu'il y seroit; ce fut toutefois en se faisant une extrême violence. Ce prince vit
bien qu'elle le fuyoit, et en fut sensiblement touché.

Monsieur de Clèves ne prit pas garde d'abord à la
conduite de sa femme; mais enfin il s'aperçut qu'elle
ne vouloit pas être dans sa chambre, lorsqu'il y avoit

du monde. Il lui en parla, et elle lui répondit qu'elle
ne croyoit pas que la bienséance voulût qu'elle fût tous
les soirs avec ce qu'il y avoit de plus jeune à la cour;
qu'elle le supplioit de trouver bon qu'elle fît une vie
plus retirée qu'elle n'avoit accoutumé; que la vertu et
la présence de sa mère autorisoient beaucoup de choses,
qu'une femme de son âge ne pouvoit soutenir.

Monsieur de Clèves, qui avoit naturellement beaucoup de douceur et de complaisance pour sa femme,
n'en eut pas en cette occasion, et il lui dit qu'il ne
vouloit pas absolument qu'elle changeât de conduite.
Elle fut prête de lui dire que le bruit étoit dans le
monde que monsieur de Nemours étoit amoureux d'elle;
mais elle n'eut pas la force de le nommer. Elle sentit
aussi de la honte de se vouloir servir d'une fausse
raison, et de déguiser la vérité à un homme qui avoit si
bonne opinion d'elle.

Quelques jours après, le roi étoit chez la reine à
l'heure du cercle; l'on parla des horoscopes et des prédictions: les opinions étoient partagées sur la croyance
que l'on y devoit donner. La reine y ajoutoit beaucoup
de foi; elle soutint qu'après tant de choses qui avoient
été prédites, et que l'on avoit vu arriver, on ne pouvoit
douter qu'il n'y eût quelque certitude dans cette science.
D'autres soutenoient que, parmi ce nombre infini de
prédictions, le peu qui se trouvoit véritable faisoit bien
voir que ce n'étoit qu'un effet du hasard.

J'ai eu autrefois beaucoup de curiosité pour l'avenir,
dit le roi; mais on m'a dit tant de choses fausses et si
peu vraisemblables, que je suis demeuré convaincu que
l'on ne peut rien savoir de véritable. Il y a quelques
années qu'il vint ici un homme d'une grande réputation dans l'astrologie. Tout le monde l'alla voir: j'y
allai comme les autres, mais sans lui dire qui j'étois, et
je menai monsieur de Guise, et d'Escars; je les fis

passer les premiers. L'astrologue néanmoins s'adressa
d'abord à moi, comme s'il m'eût jugé le maître des
autres: peut-être qu'il me connoissoit; cependant il me
dit une chose qui ne me convenoit pas, s'il m'eût connu.
Il me prédit que je serois tué en duel. Il dit ensuite
à monsieur de Guise qu'il seroit tué par derrière, et
à d'Escars qu'il auroit la tête cassée d'un coup de pied
de cheval. Monsieur de Guise s'offensa quasi de cette
prédiction, comme si on l'eût accusé de devoir fuir.
D'Escars ne fut guère satisfait de trouver qu'il devoit
finir par un accident si malheureux. Enfin, nous sor-
tîmes tous très mal contents de l'astrologue. Je ne sais
ce qui arrivera à monsieur de Guise et à d'Escars; mais
il n'y guère d'apparence que je sois tué en duel. Nous
venons de faire la paix, le roi d'Espagne et moi; et,
quand nous ne l'aurions pas faite, je doute que nous
nous battions, et que je le fisse appeler comme le roi mon
père fit appeler Charles-Quint.

Après le malheur que le roi conta qu'on lui avoit
prédit, ceux qui avoient soutenu l'astrologie, en aban-
donnèrent le parti, et tombèrent d'accord qu'il n'y falloit donner aucune croyance. Pour moi, dit tout haut
monsieur de Nemours, je suis l'homme du monde qui
dois le moins y en avoir; et se retournant vers madame
de Clèves, auprès de qui il étoit: On m'a prédit, lui
dit-il tout bas, que je serois heureux par les bontés de
la personne du monde pour qui j'aurois la plus violente
et la plus respectueuse passion. Vous pouvez juger,
madame, si je dois croire aux prédictions.

Madame la dauphine qui crut par ce que monsieur de
Nemours avoit dit tout haut, que ce qu'il disoit tout
bas étoit quelque fausse prédiction qu'on lui avoit faite,
demanda à ce prince ce qu'il disoit à madame de Clèves.
S'il eût eu moins de présence d'esprit, il eût été surpris
de cette demande; mais prenant la parole sans hésiter:

Je lui disois, madame, répondit-il, que l'on m'a prédit
que je serois élevé à une si haute fortune, que je
n'oserois même y prétendre. Si l'on ne vous a fait que
cette prédiction, repartit madame la dauphine, en souriant, et pensant à l'affaire d'Angleterre, je ne vous
conseille pas de décrier l'astrologie, et vous pourriez
trouver des raisons pour la soutenir. Madame de Clèves
comprit bien ce que vouloit dire madame la dauphine;
mais elle entendoit bien aussi que la fortune dont monsieur de Nemours vouloit parler n'étoit pas d'être roi
d'Angleterre.

Comme il y avoit déjà assez longtemps de la mort de
sa mère, il falloit qu'elle commençât à paroître dans le
monde, et à faire sa cour, comme elle avoit accoutumé:
elle voyoit monsieur de Nemours chez madame la dauphine; elle le voyoit chez monsieur de Clèves, où il
venoit souvent avec d'autres personnes de qualité de son
âge, afin de ne se pas faire remarquer; mais elle ne le
voyoit plus qu'avec un trouble dont il s'apercevoit aisément.

Quelque application qu'elle eût à éviter ses regards,
et à lui parler moins qu'à un autre, il lui échappoit
de certaines choses qui partoient d'un premier mouvement qui faisoit juger à ce prince qu'il ne lui étoit pas
indifférent. Un homme moins pénétrant que lui ne s'en
fût peut-être pas aperçu; mais il avoit déjà été aimé
tant de fois, qu'il étoit difficile qu'il ne connût pas quand
on l'aimoit. Il voyoit bien que le chevalier de Guise étoit
son rival, et ce prince connoissoit que monsieur de Nemours étoit le sien. Il étoit le seul homme de la cour
qui eût démêlé cette vérité; son intérêt l'avoit rendu
plus clairvoyant que les autres; la connoissance qu'ils
avoient de leurs sentiments, leur donnoit une aigreur
qui paroissoit en toutes choses, sans éclater néanmoins
par aucun démêlé: mais ils étoient opposés en tout. Ils

étoient toujours de différent parti dans les courses de bague, dans les combats à la barrière, et dans tous les divertissements où le roi s'occupoit; et leur émulation étoit si grande, qu'elle ne se pouvoit cacher.

L'affaire d'Angleterre revenoit souvent dans l'esprit de madame de Clèves: il lui sembloit que monsieur de Nemours ne résisteroit point aux conseils du roi et aux instances de Lignerolles. Elle voyoit avec peine que ce dernier n'étoit point encore de retour, et elle l'attendoit avec impatience. Si elle eût suivi ses mouvements, elle se seroit informée avec soin de l'état de cette affaire; mais le même sentiment qui lui donnoit de la curiosité l'obligeoit à la cacher, et elle s'enquéroit seulement de la beauté, de l'esprit et de l'humeur de la reine Élisabeth. On apporta un de ses portraits chez le roi, qu'elle trouva plus beau qu'elle n'avoit envie de le trouver; et elle ne put s'empêcher de dire qu'il étoit flatté. Je ne le crois pas, reprit madame la dauphine, qui étoit présente; cette princesse a la réputation d'être belle, et d'avoir un esprit fort au-dessus du commun, et je sais bien qu'on me l'a proposée toute ma vie pour exemple. Elle doit être aimable, si elle ressemble à Anne de Boulen, sa mère. Jamais femme n'a eu tant de charmes et tant d'agrément dans sa personne et dans son humeur. J'ai ouï dire que son visage avoit quelque chose de vif et de singulier, et qu'elle n'avoit aucune ressemblance avec les autres beautés angloises. Il me semble aussi, reprit madame de Clèves, que l'on dit qu'elle étoit née en France. Ceux qui l'ont cru se sont trompés, répondit madame la dauphine, et je vais vous conter son histoire en peu de mots.

Elle étoit d'une bonne maison d'Angleterre. Henri VIII avoit été amoureux de sa sœur et da sa mère, et l'on a même soupçonné qu'elle étoit sa fille. Elle vint ici avec la sœur de Henri VII, qui épousa le roi Louis

XII. Cette princesse, qui étoit jeune et galante, eut beaucoup de peine à quitter la cour de France après la mort
de son mari; mais Anne de Boulen, qui avoit les mêmes
inclinations que sa maîtresse, ne put se résoudre à en
partir. Le feu roi en étoit amoureux, et elle demeura
fille d'honneur de la reine Claude. Cette reine mourut,
et madame Marguerite, sœur du roi, duchesse d'Alençon,
et depuis reine de Navarre, dont vous avez vu les contes,
la prit auprès d'elle, et elle prit auprès de cette princesse
les teintures de la religion nouvelle. Elle retourna ensuite en Angleterre et y charma tout le monde; elle
avoit les manières de France qui plaisent à toutes les
nations; elle chantoit bien; elle dansoit admirablement;
on la mit fille de la reine Catherine d'Aragon, et le roi
Henri VIII en devint éperdument amoureux.

Le cardinal de Wolsey, son favori et son premier
ministre, avoit prétendu au pontificat; et, mal satisfait
de l'Empereur, qui ne l'avoit pas soutenu dans cette
prétention, il résolut de s'en venger, et d'unir le roi,
son maître, à la France. Il mit dans l'esprit de Henri
VIII que son mariage avec la tante de l'Empereur étoit
nul, et lui proposa d'épouser la duchesse d'Alençon,
dont le mari venoit de mourir. Anne de Boulen, qui
avoit de l'ambition, regarda ce divorce comme un chemin
qui la pouvoit conduire au trône. Elle commença à donner au roi d'Angleterre des impressions de la religion
de Luther, et engagea le feu roi à favoriser à Rome le
divorce de Henri, sur l'espérance du mariage de madame
d'Alençon. Le cardinal de Wolsey se fit députer en
France, sur d'autres prétextes, pour traiter cette affaire;
mais son maître ne put se résoudre à souffrir qu'on en
fît seulement la proposition, et il lui envoya un ordre,
à Calais, de ne point parler de ce mariage.

Au retour de France, le cardinal de Wolsey fut reçu
avec des honneurs pareils à ceux que l'on rendoit au

roi même : jamais favori n'a porté l'orgueil et la vanité
à un si haut point. Il ménagea une entrevue entre les
deux rois, qui se fit à Boulogne. François Ier donna la
main à Henri VIII, qui ne la vouloit point recevoir :
ils se traitèrent tour à tour avec une magnificence extraordinaire, et se donnèrent des habits pareils à ceux
qu'ils avoient fait faire pour eux-mêmes. Je me souviens
d'avoir ouï dire que ceux que le feu roi envoya au roi
d'Angleterre étoient de satin cramoisi, chamarré en tri-
angle, avec des perles et des diamants, et la robe, de
velours blanc brodé d'or. Après avoir été quelque jours
à Boulogne, ils allèrent encore à Calais. Anne de Boulen
était logée chez Henri VIII avec le train d'une reine ;
et François Ier lui fit les mêmes présents et lui rendit
les mêmes honneurs que si elle l'eût été. Enfin, après
une passion de neuf années, Henri l'épousa sans attendre la dissolution de son premier mariage, qu'il demandoit à Rome depuis longtemps. Le pape prononça les
fulminations contre lui avec précipitation et Henri en
fut tellement irrité, qu'il se déclara chef de la religion,
et entraîna toute l'Angleterre dans le malheureux
changement où vous la voyez.

Anne de Boulen ne jouit pas longtemps de sa grandeur ; car, lorsqu'elle la croyoit plus assurée par la mort
de Catherine d'Aragon, un jour qu'elle assistoit avec
toute la cour à des courses de bague que faisoit le vicomte de Rochefort, son frère, le roi en fut frappé
d'une telle jalousie, qu'il quitta brusquement le spectacle, s'en vint à Londres, et laissa ordre d'arrêter la
reine, le vicomte de Rochefort, et plusieurs autres, qu'il
croyoit amants ou confidents de cette princesse. Quoique cette jalousie parût née dans ce moment, il y avoit
déjà quelque temps qu'elle lui avoit été inspirée par
la vicomtesse de Rochefort, qui, ne pouvant souffrir
la liaison étroite de son mari avec la reine, la fit regarder

au roi comme une amitié criminelle; en sorte que ce
prince, qui d'ailleurs étoit amoureux de Jeanne Seimer,
ne songea qu'à se défaire d'Anne de Boulen. En moins
de trois semaines, il fit faire le procès à cette reine et
à son frère, leur fit couper la tête, et épousa Jeanne
Seimer. Il eut ensuite plusieurs femmes qu'il répudia,
ou qu'il fit mourir, et entre autres Catherine Havart,
dont la comtesse de Rochefort étoit confidente; et qui
eut la tête coupée avec elle. Elle fut ainsi punie des
crimes qu'elle avoit supposés à Anne de Boulen, et
Henri VIII mourut, étant devenu d'une grosseur prodigieuse.

Toutes les dames, qui étoient présentes au récit de
madame la dauphine, la remercièrent de les avoir si
bien instruites de la cour d'Angleterre, et entre autres
madame de Clèves, qui ne put s'empêcher de lui faire
encore plusieurs questions sur la reine Élisabeth.

La reine dauphine faisoit faire des portraits en petit
de toutes les belles personnes de la cour, pour les envoyer à la reine sa mère. Le jour qu'on achevoit celui
de madame de Clèves, madame la dauphine vint passer
l'après-dînée chez elle. Monsieur de Nemours ne manqua
pas de s'y trouver: il ne laissoit échapper aucune occasion de voir madame de Clèves, sans laisser croire
néanmoins qu'il les cherchât. Elle étoit si belle ce
jour-là, qu'il en seroit devenu amoureux, quand il ne
l'auroit pas été: il n'osoit pourtant avoir les yeux attachés sur elle pendant qu'on la peignoit, et il craignoit
de laisser trop voir le plaisir qu'il avoit à la regarder.

Madame la dauphine demanda à monsieur de Clèves
un petit portrait qu'il avoit de sa femme, pour le voir
auprès de celui qu'on achevoit; tout le monde dit son
sentiment de l'un et de l'autre, et madame de Clèves
ordonna au peintre de raccommoder quelque chose à la
coiffure de celui qu'on venoit d'apporter. Le peintre,

pour lui obéir, ôta le portrait de la boîte où il étoit, et,
après y avoir travaillé, il le remit sur la table.

Il y avoit longtemps que monsieur de Nemours souhaitoit d'avoir le portrait de madame de Clèves.
Lorsqu'il vit celui qui étoit à monsieur de Clèves, il ne
put résister à l'envie de le dérober à un mari qu'il
croyoit tendrement aimé; et il pensa que, parmi tant de
personnes qui étoient dans ce même lieu, il ne seroit pas
soupçonné plutôt qu'un autre.

Madame la dauphine étoit assise sur le lit, et parloit
bas à madame de Clèves, qui étoit debout devant elle.
Madame de Clèves aperçut, par un des rideaux qui
n'étoit qu'à demi-fermé, monsieur de Nemours, le dos
contre la table, qui étoit au pied du lit, et elle vit que,
sans tourner la tête, il prenoit adroitement quelque
chose sur cette table. Elle n'eut pas de peine à deviner
que c'étoit son portrait, et elle en fut si troublée, que
madame la dauphine remarqua qu'elle ne l'écoutoit pas,
et lui demanda tout haut ce qu'elle regardoit. Monsieur
de Nemours se tourna à ces paroles; il recontra les yeux
de madame de Clèves, qui étoient encore attachés sur
lui, et il pensa qu'il n'étoit pas impossible qu'elle eût
vu ce qu'il venoit de faire.

Madame de Clèves n'étoit pas peu embarrassée; la
raison vouloit qu'elle demandât son portrait; mais, en le
demandant publiquement, c'étoit apprendre à tout le
monde les sentiments que ce prince avoit pour elle, et,
en le lui demandant en particulier, c'étoit quasi l'engager
à lui parler de sa passion: enfin, elle jugea qu'il valoit
mieux le lui laisser, et elle fut bien aise de lui accorder
une faveur qu'elle lui pouvoit faire, sans qu'il sût même
qu'elle la lui faisoit. Monsieur de Nemours, qui remarquoit son embarras, et qui en devinoit quasi la cause,
s'approcha d'elle, et lui dit tout bas: Si vous avez vu
ce que j'ai osé faire, ayez la bonté, madame, de me laisser

croire que vous l'ignorez, je n'ose vous en demander
davantage ; et il se retira après ces paroles, et n'attendit
point la réponse.

Madame la dauphine sortit pour s'aller promener,
suivie de toutes les dames, et monsieur de Nemours alla
se renfermer chez lui, ne pouvant soutenir en public
la joie d'avoir un portrait de madame de Clèves. Il sentoit tout ce que la passion peut faire sentir de plus
agréable ; il aimoit la plus aimable personne de la cour ;
il s'en faisoit aimer malgré elle, et il voyoit dans toutes
ses actions cette sorte de trouble et d'embarras que
cause l'amour dans l'innocence de la première jeunesse.

Le soir, on chercha ce portrait avec beaucoup de soin ;
comme on trouvoit la boîte, où il devoit être, l'on ne
soupçonna point qu'il eût été dérobé, et l'on crut qu'il
étoit tombé par hasard. Monsieur de Clèves étoit affligé
de cette perte, et, après qu'on eut encore cherché inutilement, il dit à sa femme, mais d'une manière qui faisoit
croire qu'il ne le pensoit pas, qu'elle avoit sans doute
quelque amant caché, à qui elle avoit donné ce portrait,
ou qui l'avoit dérobé, et qu'un autre qu'un amant ne
se seroit pas contenté de la peinture sans la boîte.
Ces paroles, quoique dites en riant, firent une vive
impression dans l'esprit de madame de Clèves : elles lui
donnèrent des remords ; elle fit réflexion à la violence
de l'inclination qui l'entraînoit vers monsieur de Nemours ; elle trouva qu'elle n'étoit plus maîtresse de ses
paroles et de son visage ; elle pensa que Lignerolles étoit
revenu ; qu'elle ne craignoit plus l'affaire d'Angleterre ;
qu'elle n'avoit plus de soupçons sur madame la dauphine ;
qu'enfin, il n'y avoit plus rien qui la pût défendre, et
qu'il n'y avoit de sûreté pour elle qu'en s'éloignant.
Mais, comme elle n'étoit pas maîtresse de s'éloigner,
elle se trouvoit dans une grande extrémité et prête à
tomber dans ce qui lui paroissoit le plus grand des

malheurs, qui étoit de laisser voir à monsieur de Nemours l'inclination qu'elle avoit pour lui. Elle se souvenoit de tout ce que madame de Chartres lui avoit dit
en mourant, et des conseils qu'elle lui avoit donnés de
prendre toutes sortes de partis, quelque difficiles qu'ils
pussent être, plutôt que de s'embarquer dans une galanterie. Ce que monsieur de Clèves lui avoit dit sur la
sincérité, en parlant de madame de Tournon, lui revint
dans l'esprit; il lui sembla qu'elle lui devoit avouer l'inclination qu'elle avoit pour monsieur de Nemours. Cette
pensée l'occupa longtemps; ensuite elle fut étonnée de
l'avoir eue; elle y trouva de la folie, et retomba dans
l'embarras de ne savoir quel parti prendre.

La paix étoit signée; madame Élisabeth, après beaucoup de répugnance, s'étoit résolue à obéir au roi son
père. Le duc d'Albe avoit été nommé pour venir
l'épouser au nom du roi catholique, et il devoit bientôt
arriver. L'on attendoit le duc de Savoie qui venoit
épouser Madame, sœur du roi, et dont les noces se
devoient faire en même temps. Le roi ne songeoit qu'à
rendre ces noces célèbres, par des divertissements où
il pût faire paroître l'adresse et la magnificence de sa
cour. On proposa tout ce qui se pouvoit faire de plus
grand pour des ballets et des comédies; mais le roi
trouva ces divertissements trop particuliers, et il voulut
d'un plus grand éclat.

Il résolut de faire un tournoi, où les étrangers seroient
reçus, et dont le peuple pourroit être spectateur. Tous
les princes et les jeunes seigneurs entrèrent avec joie
dans le dessein du roi, et surtout le duc de Ferrare,
monsieur de Guise et monsieur de Nemours, qui sur-
passoient tous les autres dans ces sortes d'exercices. Le
roi les choisit pour être avec lui les quatre tenants du
tournoi.

L'on fit publier par tout le royaume, qu'en la ville

de Paris le pas étoit ouvert au quinzième juin par Sa Majesté Très Chrétienne, et par les princes Alphonse d'Est, duc de Ferrare, François de Lorraine, duc de Guise, et Jacques de Savoie, duc de Nemours, pour être tenu contre tous venants : à commencer le premier combat à cheval en lice, en double pièce, quatre coups de lance et un pour les dames ; le deuxième combat, à coups d'épée, un à un, ou deux à deux, à la volonté des maîtres du camp ; le troisième combat, à pied, trois coups de pique et six coups d'épée ; que les tenants fourniroient de lances, d'épées et de piques, au choix des assaillants, et que, si en courant on donnoit au cheval, on seroit mis hors des rangs ; qu'il y auroit quatre maîtres du camp pour donner les ordres, et que ceux des assaillants qui auroient le plus rompu et le mieux fait auroient un prix dont la valeur seroit à la discrétion des juges ; que tous les assaillants, tant françois qu'étrangers, seroient tenus de venir toucher à l'un des écus qui seroient pendus au perron au bout de la lice, ou à plusieurs, selon leur choix ; que là ils trouveroient un officier d'armes, qui les recevroit pour les enrôler selon leur rang et selon les écus qu'ils auroient touchés ; que les assaillants seroient tenus de faire apporter par un gentilhomme leur écu avec leurs armes, pour le pendre au perron trois jours avant le commencement du tournoi ; qu'autrement, ils n'y seroient point reçus sans le congé des tenants.

On fit faire une grande lice proche de la Bastille, qui venoit du château des Tournelles, qui traversoit la rue Saint-Antoine, et qui alloit rendre aux écuries royales. Il y avoit des deux côtés des échafauds et des amphithéâtres, avec des loges couvertes, qui formoient des espèces de galeries qui faisoient un très bel effet à la vue, et qui pouvoient contenir un nombre infini de personnes. Tous les princes et seigneurs ne furent plus occupés que du soin d'ordonner ce qui leur étoit néces-

saire pour paroître avec éclat, et pour mêler dans leurs
chiffres ou dans leurs devises quelque chose de galant
qui eût rapport aux personnes qu'ils aimoient.

Peu de jours avant l'arrivée du duc d'Albe, le roi fit
une partie de paume avec monsieur de Nemours, le
chevalier de Guise, et le vidame de Chartres. Les reines
les allèrent voir jouer, suivies de toutes les dames, et
entre autres de madame de Clèves. Après que la partie
fut finie, comme l'on sortoit du jeu de paume, Châtelart
s'approcha de la reine dauphine, et lui dit que le hasard
lui venoit de mettre entre les mains une lettre de galanterie qui étoit tombée de la poche de monsieur de Nemours. Cette reine, qui avoit toujours de la curiosité
pour ce qui regardoit ce prince, dit à Châtelart de la
lui donner; elle la prit et suivit la reine sa belle-mère,
qui s'en alloit avec le roi voir travailler à la lice. Après
que l'on y eût été quelque temps, le roi fit amener des
chevaux qu'il avoit fait venir depuis peu. Quoiqu'ils
ne fussent pas encore dressés, il les voulut monter, et
en fit donner à tous ceux qui l'avoient suivi. Le roi et
monsieur de Nemours se trouvèrent sur les plus fou-
gueux; ces chevaux se voulurent jeter l'un à l'autre.
Monsieur de Nemours, par la crainte de blesser le roi,
recula brusquement, et porta son cheval contre un pilier
du manège, avec tant de violence, que la secousse le
fit chanceler. On courut à lui, et on le crut considérablement blessé. Madame de Clèves le crut encore plus
blessé que les autres. L'intérêt qu'elle y prenoit lui
donna une appréhension et un trouble qu'elle ne songea
pas à cacher; elle s'approcha de lui avec les reines,
et avec un visage si changé, qu'un homme moins intéressé que le chevalier de Guise s'en fût aperçu: aussi
le remarqua-t-il aisément, et il eut bien plus d'attention
à l'état où étoit madame de Clèves qu'à celui où étoit
monsieur de Nemours. Le coup que ce prince s'étoit

donné, lui causa un si grand éblouissement, qu'il demeura quelque temps la tête penchée sur ceux qui le
soutenoient. Quand il la releva, il vit d'abord madame
de Clèves; il connut sur son visage la pitié qu'elle avoit
de lui, et il la regarda d'une sorte qui put lui faire
juger combien il en étoit touché. Il fit ensuite des re-
mercîments aux reines de la bonté qu'elles lui
témoignoient et des excuses de l'état où il avoit été
devant elles. Le roi lui ordonna de s'aller reposer.

Madame de Clèves, après s'être remise de la frayeur
qu'elle avoit eue, fit bientôt réflexion aux marques qu'elle
en avoit données. Le chevalier de Guise ne la laissa pas
longtemps dans l'espérance que personne ne s'en seroit
aperçu; il lui donna la main pour la conduire hors de
la lice. Je suis plus à plaindre que monsieur de Nemours,
madame, lui dit-il; pardonnez-moi si je sors de ce profond respect que j'ai toujours eu pour vous, et si je
vous fais paroître la vive douleur que je sens de ce que
je viens de voir: c'est la première fois que j'ai été assez
hardi pour vous parler, et ce sera aussi la dernière. La
mort, ou du moins un éloignement éternel m'ôteront d'un
lieu où je ne puis plus vivre, puisque je viens de perdre
la triste consolation de croire que tous ceux qui osent
vous regarder, sont aussi malheureux que moi.

Madame de Clèves ne répondit que quelques paroles
mal arrangées, comme si elle n'eût pas entendu ce que
signifioient celles du chevalier de Guise. Dans un autre
temps, elle auroit été offensée qu'il lui eût parlé des
sentiments qu'il avoit pour elle; mais, dans ce moment,
elle ne sentit que l'affliction de voir qu'il s'étoit aperçu
de ceux qu'elle avoit pour monsieur de Nemours. Le
chevalier de Guise en fut si convaincu et si pénétré de
douleur, que, dès ce jour, il prit la résolution de ne
penser jamais à être aimé de madame de Clèves. Mais,
pour quitter cette entreprise qui lui avoit paru si diffi-

cile et si glorieuse, il en falloit quelque autre dont la
grandeur pût l'occuper. Il se mit dans l'esprit de prendre
Rhodes, dont il avoit déjà eu quelque pensée; et, quand
la mort l'ôta du monde, dans la fleur de sa jeunesse,
et dans le temps qu'il avoit acquis la réputation d'un
des plus grands princes de son siècle, le seul regret
qu'il témoigna de quitter la vie, fut de n'avoir pu exécuter une si belle résolution, dont il croyoit le succès infaillible par tous les soins qu'il en avoit pris.

Madame de Clèves, en sortant de la lice, alla chez
la reine, l'esprit bien occupé de ce qui s'étoit passé.
Monsieur de Nemours y vint peu de temps après, habillé
magnifiquement, et comme un homme qui ne se sentoit
pas de l'accident qui lui étoit arrivé: il paroissoit même
plus gai que de coutume; et la joie de ce qu'il croyoit
avoir vu lui donnoit un air qui augmentoit encore son
agrément. Tout le monde fut surpris lorsqu'il entra, et
il n'y eut personne qui ne lui demandât de ses nouvelles,
excepté madame de Clèves, qui demeura auprès de la
cheminée sans faire semblant de le voir. Le roi sortit
d'un cabinet où il étoit, et, le voyant parmi les autres,
il l'appela pour lui parler de son aventure. Monsieur de
Nemours passa auprès de madame de Clèves, et lui
dit tout bas: J'ai reçu aujourd'hui des marques de votre
pitié, madame; mais ce n'est pas de celles dont je suis
le plus digne. Madame de Clèves s'étoit bien doutée
que ce prince s'étoit aperçu de la sensibilité qu'elle avoit
eue pour lui; et ses paroles lui firent voir qu'elle ne
s'étoit pas trompée. Ce lui étoit une grande douleur de
voir qu'elle n'étoit plus maîtresse de cacher ses sentiments, et de les avoir laissé paroître au chevalier de
Guise. Elle en avoit aussi beaucoup que monsieur de Nemours les connût; mais cette dernière douleur n'étoit
pas si entière, et elle étoit mêlée de quelque sorte de
douceur.

La reine dauphine, qui avoit une extrême impatience
de savoir ce qu'il y avoit dans la lettre que Châtelart lui
avoit donnée, s'approcha de madame de Clèves: Allez
lire cette lettre, lui dit-elle; elle s'adresse à monsieur
de Nemours, et, selon les apparences, elle est de cette
maîtresse pour qui il a quitté toutes les autres: si vous
ne la pouvez lire présentement, gardez-la; venez ce
soir à mon coucher pour me la rendre, et pour me dire
si vous en connoissez l'écriture. Madame la dauphine
quitta madame de Clèves après ces paroles, et la laissa
si étonnée, et dans un si grand saisissement, qu'elle fut
quelque temps sans pouvoir sortir de sa place. L'impatience et le trouble où elle étoit ne lui permirent pas
de demeurer chez la reine; elle s'en alla chez elle,
quoiqu'il ne fût pas l'heure où elle avoit accoutumé de
se retirer: elle tenoit cette lettre avec une main trem-
blante; ses pensées étoient si confuses, qu'elle n'en avoit
aucune distincte, et elle se trouvoit dans une sorte de
douleur insupportable qu'elle ne connoissoit point, et
qu'elle n'avoit jamais sentie. Sitôt qu'elle fut dans son
cabinet, elle ouvrit cette lettre, et la trouva telle:

LETTRE

*Je vous ai trop aimé pour vous laisser croire que le
changement qui vous paroît en moi soit un effet de ma
légèreté; je veux vous apprendre que votre infidélité
en est la cause. Vous êtes bien surpris que je vous parle
de votre infidélité; vous me l'aviez cachée avec tant
d'adresse, et j'ai pris tant de soin de vous cacher que
je la savois, que vous avez raison d'être étonné qu'elle
me soit connue. Je suis surprise moi-même que j'aie pu
ne vous en rien faire paroître. Jamais douleur n'a été
pareille à la mienne: je croyois que vous aviez pour
moi une passion violente; je ne vous cachois plus celle*

que j'avois pour vous; et, dans le temps que je vous
la laissois voir toute entière, j'appris que vous me trom-
piez, que vous en aimiez une autre, et que, selon toutes
les apparences, vous me sacrifiiez à cette nouvelle maîtresse. Je le sus le jour de la course de bague; c'est ce
qui fit que je n'y allai point: je feignis d'être malade
pour cacher le désordre de mon esprit; mais je le devins
en effet, et mon corps ne put supporter une si violente
agitation. Quand je commençai à me porter mieux, je
feignis encore d'être fort mal, afin d'avoir un prétexte
de ne vous point voir et de ne vous point écrire. Je
voulus avoir du temps pour résoudre de quelle sorte j'en
devois user avec vous: je pris et je quittai vingt fois
les mêmes résolutions; mais enfin, je vous trouvai indigne de voir ma douleur, et je résolus de ne vous la
point faire paroître. Je voulus blesser votre orgueil,
en vous faisant voir que ma passion s'affoiblissoit d'elle-
même. Je crus diminuer, par là, le prix du sacrifice que
vous en faisiez; je ne voulus pas que vous eussiez le
plaisir de montrer combien je vous aimois pour en
paroître plus aimable. Je résolus de vous écrire des
lettres tièdes et languissantes, pour jeter dans l'esprit
de celle à qui vous les donniez que l'on cessoit de vous
aimer. Je ne voulus pas qu'elle eût le plaisir d'apprendre que je savois qu'elle triomphoit de moi, ni augmenter son triomphe par mon désespoir et par mes reproches.
Je pensai que je ne vous punirois pas assez en rompant
avec vous, et que je ne vous donnerois qu'une légère
douleur si je cessois de vous aimer lorsque vous ne
m'aimiez plus. Je trouvai qu'il falloit que vous m'aimas-
siez pour sentir le mal de n'être point aimé, que j'éprou-
vois si cruellement. Je crus que, si quelque chose pouvoit
rallumer les sentiments que vous aviez eus pour moi,
c'étoit de vous faire voir que les miens étoient changés;
mais de vous le faire voir en feignant de vous le cacher,

*et comme si je n'eusse pas eu la force de vous l'avouer.
Je m'arrêtai à cette résolution; mais qu'elle me fut
difficile à prendre! et qu'en vous revoyant elle me parut
impossible à exécuter! Je fus prête cent fois à éclater
par mes reproches et par mes pleurs: l'état où j'étois
encore, par ma santé, me servit à vous déguiser mon
trouble et mon affliction. Je fus soutenue ensuite par
le plaisir de dissimuler avec vous, comme vous dissi-
muliez avec moi; néanmoins, je me faisois une si grande
violence pour vous dire et pour vous écrire que je vous
aimois, que vous vîtes plus tôt que je n'avois eu dessein
de vous laisser voir, que mes sentiments étoient changés.
Vous en fûtes blessé; vous vous en plaignîtes: je tâchois
de vous rassurer; mais c'étoit d'une manière si forcée,
que vous en étiez encore mieux persuadé que je ne vous
aimois plus: enfin, je fis tout ce que j'avois eu intention
de faire. La bizarrerie de votre cœur vous fit revenir
vers moi, à mesure que vous voyiez que je m'éloignois
de vous. J'ai joui de tout le plaisir que peut donner la
vengeance; il m'a paru que vous m'aimiez mieux que
vous n'aviez jamais fait, et je vous ai fait voir que
je ne vous aimois plus. J'ai eu lieu de croire que vous
aviez entièrement abandonné celle pour qui vous m'aviez
quittée. J'ai eu aussi des raisons pour être persuadée que
vous ne lui aviez jamais parlé de moi; mais votre retour
et votre discrétion n'ont pu réparer votre légèreté. Votre
cœur a été partagé entre moi et une autre; vous m'avez
trompée; cela suffit pour m'ôter le plaisir d'être aimée
de vous, comme je croyois mériter de l'être, et pour me
laisser dans cette résolution, que j'ai prise, de ne vous
voir jamais, et dont vous êtes si surpris.*

Madame de Clèves lut cette lettre et la relut plusieurs fois, sans savoir néanmoins ce qu'elle avoit lu:
elle voyoit seulement que monsieur de Nemours ne
l'aimoit pas comme elle l'avoit pensé, et qu'il en aimoit

d'autres qu'il trompoit comme elle. Quelle vue et quelle
connoissance pour une personne de son humeur, qui
avoit une passion violente, qui venoit d'en donner des
marques à un homme qu'elle en jugeoit indigne, et à
un autre qu'elle maltraitoit pour l'amour de lui! Jamais
affliction n'a été si piquante et si vive: il lui sembloit
que ce qui faisoit l'aigreur de cette affliction étoit ce qui
s'étoit passé dans cette journée, et que, si monsieur
de Nemours n'eût point eu lieu de croire qu'elle l'aimoit,
elle ne se fût pas souciée qu'il en eût aimé une autre;
mais elle se trompoit elle-même; et ce mal, qu'elle trouvoit si insupportable, étoit la jalousie avec toutes les
horreurs dont elle peut être accompagnée. Elle voyoit,
par cette lettre, que monsieur de Nemours avoit une
galanterie depuis longtemps. Elle trouvoit que celle qui
avoit écrit la lettre, avoit de l'esprit et du mérite: elle
lui paroissoit digne d'être aimée; elle lui trouvoit plus
de courage qu'elle ne s'en trouvoit à elle-même, et elle
envioit la force qu'elle avoit eue de cacher ses sentiments à monsieur de Nemours. Elle voyoit, par la fin
de la lettre, que cette personne se croyoit aimée; elle
pensoit que la discrétion que ce prince lui avoit fait
paroître, et dont elle avoit été si touchée, n'étoit peut-
être que l'effet de la passion qu'il avoit pour cette autre
personne, à qui il craignoit de déplaire; enfin, elle pensoit tout ce qui pouvoit augmenter son affliction et son
désespoir. Quels retours ne fit-elle point sur elle-même!
quelles réflexions sur les conseils que sa mère lui avoit
donnés! Combien se repentit-elle de ne s'être pas opiniâ-
trée à se séparer du commerce du monde, malgré monsieur de Clèves, ou de n'avoir pas suivi la pensée qu'elle
avoit eue de lui avouer l'inclination qu'elle avoit pour
monsieur de Nemours! Elle trouvoit qu'elle auroit mieux
fait de la découvrir à un mari dont elle connoissoit la
bonté, et qui auroit eu intérêt à la cacher, que de la

laisser voir à un homme qui en étoit indigne, qui la
trompoit, qui la sacrifioit peut-être, et qui ne pensoit
à être aimé d'elle que par un sentiment d'orgueil et
de vanité; enfin, elle trouva que tous les maux qui lui
pouvoient arriver, et toutes les extrémités où elle se
pouvoit porter, étoient moindres que d'avoir laissé voir
à monsieur de Nemours qu'elle l'aimoit, et de connoître
qu'il en aimoit une autre. Tout ce qui la consoloit, étoit
de penser au moins, qu'après cette connoissance, elle
n'avoit plus rien à craindre d'elle-même, et qu'elle seroit
entièrement guérie de l'inclination qu'elle avoit pour
ce prince.

Elle ne pensa guère à l'ordre que madame la dauphine lui avoit donné de se trouver à son coucher; elle
se mit au lit et feignit de se trouver mal, en sorte que,
quand monsieur de Clèves revint de chez le roi, on lui
dit qu'elle étoit endormie; mais elle étoit bien éloignée
de la tranquillité qui conduit au sommeil. Elle passa la
nuit sans faire autre chose que s'affliger et relire la
lettre qu'elle avoit entre les mains.

Madame de Clèves n'étoit pas la seule personne dont
cette lettre troubloit le repos. Le vidame de Chartres,
qui l'avoit perdue, et non pas monsieur de Nemours,
en étoit dans une extrême inquiétude; il avoit passé tout
le soir chez monsieur de Guise, qui avoit donné un grand
souper au duc de Ferrare, son beau-frère, et à toute
la jeunesse de la cour. Le hasard fit qu'en soupant on
parla de jolies lettres. Le vidame de Chartres dit qu'il
en avoit une sur lui, plus jolie que toutes celles qui
avoient jamais été écrites. On le pressa de la montrer:
il s'en défendit. Monsieur de Nemours lui soutint qu'il
n'en avoit point, et qu'il ne parloit que par vanité. Le
vidame lui répondit qu'il poussoit sa discrétion à bout,
que néanmoins il ne montreroit pas la lettre; mais qu'il
en liroit quelques endroits, qui feroient juger que peu

d'hommes en recevoient de pareilles. En même temps, il voulut prendre cette lettre, et ne la trouva point. Il la chercha inutilement: on lui en fit la guerre; mais il parut si inquiet, que l'on cessa de lui en parler. Il se retira plus tôt que les autres, et s'en alla chez lui avec impatience, pour voir s'il n'y avoit point laissé la lettre qui lui manquoit.

Comme il la cherchoit encore, le premier valet de chambre de la reine le vint trouver, pour lui dire que la vicomtesse d'Uzès avoit cru nécessaire de l'avertir en diligence que l'on avoit dit chez la reine qu'il étoit tombé une lettre de galanterie de sa poche, pendant qu'il étoit au jeu de paume; que l'on avoit raconté une grande partie de ce qui étoit dans la lettre; que la reine avoit témoigné beaucoup de curiosité de la voir; qu'elle l'avoit envoyé demander à un de ses gentils-hommes servants, mais qu'il avoit répondu qu'il l'avoit laissée entre les mains de Châtelart.

Le premier valet de chambre dit encore beaucoup d'autres choses au vidame de Chartres, qui achevèrent de lui donner un grand trouble. Il sortit à l'heure même pour aller chez un gentilhomme qui étoit ami intime de Châtelart; il le fit lever, quoique l'heure fût extraordinaire, pour aller demander cette lettre, sans dire qui étoit celui qui la demandoit et qui l'avoit perdue. Châtelart, qui avoit l'esprit prévenu qu'elle étoit à monsieur de Nemours, et que ce prince étoit amoureux de madame la dauphine, ne douta point que ce ne fût lui qui la faisoit redemander. Il répondit, avec une maligne joie, qu'il avoit remis la lettre entre les mains de la reine dauphine. Le gentilhomme vint faire cette réponse au vidame de Chartres: elle augmenta l'inquiétude qu'il avoit déjà, et y en joignit encore de nouvelles. Après avoir été longtemps irrésolu sur ce qu'il devoit faire, il trouva qu'il n'y avoit que monsieur de

Nemours qui pût lui aider à sortir de l'embarras où il étoit.

Il s'en alla chez lui, et entra dans sa chambre quand le jour ne commençoit qu'à paroître. Ce prince dormoit d'un sommeil tranquille; ce qu'il avoit vu, le jour précédent, de madame de Clèves, ne lui avoit donné que des idées agréables. Il fut bien surpris de se voir éveillé par le vidame de Chartres; et il lui demanda si c'étoit pour se venger de ce qu'il lui avoit dit pendant le souper qu'il venoit troubler son repos. Le vidame lui fit bien juger par son visage qu'il n'y avoit rien que de sérieux au sujet qui l'amenoit. Je viens vous confier la plus importante affaire de ma vie, lui dit-il. Je sais bien que vous ne m'en devez pas être obligé, puisque c'est dans un temps où j'ai besoin de votre secours; mais je sais bien aussi que j'aurois perdu de votre estime, si je vous avois appris tout ce que je vais vous dire, sans que la nécessité m'y eût contraint. J'ai laissé tomber cette lettre dont je parlois hier au soir; il m'est d'une conséquence extrême que personne ne sache qu'elle s'adresse à moi. Elle a été vue de beaucoup de gens qui étoient dans le jeu de paume où elle tomba hier; vous y étiez aussi, et je vous demande, en grâce, de vouloir bien dire que c'est vous qui l'avez perdue. Il faut que vous croyiez que je n'ai point de maîtresse, reprit monsieur de Nemours en souriant, pour me faire une pareille proposition, et pour vous imaginer qu'il n'y ait personne avec qui je me puisse brouiller en laissant croire que je reçois de pareilles lettres. Je vous prie, dit le vidame, écoutez-moi sérieusement: si vous avez une maîtresse, comme je n'en doute point, quoique je ne sache pas qui elle est, il vous sera aisé de vous justifier; je vous en donnerai les moyens infaillibles: quand vous ne vous justifieriez pas auprès d'elle, il ne vous en peut coûter que d'être brouillé pour quelques moments; mais moi, par cette aventure, je déshonore une personne qui m'a passionnément aimé, et qui est une des plus estimables femmes du monde; et, d'un autre côté, je m'attire une haine implacable, qui me coûtera ma fortune, et peut-être quelque chose de plus. Je ne puis entendre tout ce que vous me dites, répondit monsieur de Nemours; mais vous me faites entrevoir que les bruits qui ont couru de l'intérêt qu'une grande princesse prenoit à vous, ne sont pas entièrement faux. Ils ne le sont pas aussi, repartit le vidame de Chartres; et plût à Dieu qu'ils le fussent; je ne me trouverois pas dans l'embarras où je me trouve; mais il faut vous raconter tout ce qui s'est passé, pour vous faire voir tout ce que j'ai à craindre.

Depuis que je suis à la cour, la reine m'a toujours traité avec beaucoup de distinction et d'agrément, et j'avois eu lieu de croire qu'elle avoit de la bonté pour moi; néanmoins, il n'y avoit rien de particulier, et je n'avois jamais songé à avoir pour elle d'autres sentiments que ceux du respect. J'étois même fort amoureux de madame de Thémines: il est aisé de juger, en la voyant, qu'on peut avoir beaucoup d'amour pour elle, quand on en est aimé; et je l'étois. Il y a près de deux ans, que, comme la cour étoit à Fontainebleau, je me trouvai deux ou trois fois en conversation avec la reine, à des heures où il y avoit très peu de monde. Il me parut que mon esprit lui plaisoit, et qu'elle entroit dans tout ce que je disois. Un jour entre autres, on se mit à parler de la confiance: je dis qu'il n'y avoit personne en qui j'en eusse une entière; que je trouvois que l'on se repentoit toujours d'en avoir, et que je savois beaucoup de choses dont je n'avois jamais parlé. La reine me dit qu'elle m'en estimoit davantage; qu'elle n'avoit trouvé personne en France qui eût du secret, et que c'étoit ce qui l'avoit le plus embarrassée, parce

que cela lui avoit ôté le plaisir de donner sa confiance;
que c'étoit une chose nécessaire dans la vie, que d'avoir
quelqu'un à qui on pût parler, et surtout pour les
personnes de son rang. Les jours suivants, elle reprit
encore plusieurs fois la même conversation: elle m'apprit même des choses assez particulières qui se passoient. Enfin, il me sembla qu'elle souhaitoit de s'assurer de mon secret, et qu'elle avoit envie de me confier
les siens. Cette pensée m'attacha à elle, je fus touché
de cette distinction, et je lui fis ma cour avec beaucoup
plus d'assiduité que je n'avois accoutumé. Un soir que
le roi et toutes les dames s'étoient allés promener, à
cheval, dans la forêt, où elle n'avoit pas voulu aller,
parce qu'elle s'étoit trouvée un peu mal, je demeurai
auprès d'elle; elle descendit au bord de l'étang, et quitta
la main de ses écuyers, pour marcher avec plus de
liberté. Après qu'elle eut fait quelques tours, elle s'approcha de moi, et m'ordonna de la suivre. Je veux
vous parler, me dit-elle; et vous verrez, par ce que je
veux vous dire, que je suis de vos amies. Elle s'arrêta
à ces paroles, et me regardant fixement: Vous êtes
amoureux, continua-t-elle, et, parce que vous ne vous
fiez peut-être à personne, vous croyez que votre amour
n'est pas su; mais il est connu, et même des personnes
intéressées. On vous observe; on sait les lieux où vous
voyez votre maîtresse; on a dessein de vous y surprendre. Je ne sais qui elle est; je ne vous le demande
point, et je veux seulement vous garantir des malheurs
où vous pouvez tomber. Voyez, je vous prie, quel piège
me tendoit la reine, et combien il étoit difficile de n'y
pas tomber. Elle vouloit savoir si j'étois amoureux; et,
en ne me demandant point de qui je l'étois, et en me laissant voir que la seule intention de me faire plaisir, elle
m'ôtoit la pensée qu'elle me parlât par curiosité, ou
par dessein.

Cependant, contre toutes sortes d'apparences, je dé-
mêlai la vérité. J'étois amoureux de madame de Thémines; mais, quoiqu'elle m'aimât, je n'étois pas assez
heureux pour avoir des lieux particuliers à la voir, sans
craindre d'y être surpris, et ainsi je vis bien que ce
ne pouvoit être elle dont la reine vouloit parler. Je
savois bien aussi que j'avois un commerce de galanterie
avec une autre femme moins belle et moins sévère que
madame de Thémines, et qu'il n'étoit pas impossible que
l'on eût découvert le lieu où je la voyois; mais, comme
je m'en souciois peu, il m'étoit aisé de me mettre à
couvert de toutes sortes de périls en cessant de la
voir. Ainsi, je pris le parti de ne rien avouer à la
reine, et de l'assurer, au contraire, qu'il y avoit très
longtemps que j'avois abandonné le désir de me faire
aimer des femmes dont je pouvois espérer de l'être,
parce que je les trouvois quasi toutes indignes d'attacher
un honnête homme, et qu'il n'y avoit que quelque chose
fort au-dessus d'elles qui pût m'engager. Vous ne me
répondez pas sincèrement, répliqua la reine; je sais le
contraire de ce que vous me dites. La manière dont je
vous parle vous doit obliger à ne me rien cacher. Je
veux que vous soyez de mes amis, continua-t-elle; mais
je ne veux pas, en vous donnant cette place, ignorer
quels sont vos attachements. Voyez si vous la voulez
acheter au prix de me les apprendre; je vous donne
deux jours pour y penser; mais, après ce temps-là,
songez bien à ce que vous me direz, et souvenez-vous
que, si dans la suite je trouve que vous m'ayez trompée,
je ne vous le pardonnerai de ma vie.

La reine me quitta après m'avoir dit ces paroles,
sans attendre ma réponse. Vous pouvez croire que je
demeurai l'esprit bien rempli de ce qu'elle me venoit de
dire. Les deux jours qu'elle m'avoit donnés pour y
penser ne me parurent pas trop longs pour me déter-

miner. Je voyois qu'elle vouloit savoir si j'étois amoureux, et qu'elle ne souhaitoit pas que je le fusse. Je
voyois les suites et les conséquences du parti que j'allois
prendre; ma vanité n'étoit pas peu flattée d'une liaison
particulière avec une reine, et une reine dont la personne est encore extrêmement aimable. D'un autre côté,
j'aimois madame de Thémines, et, quoique je lui fisse
une espèce d'infidélité pour cette autre femme dont
je vous ai parlé, je ne pouvois me résoudre à rompre
avec elle. Je voyois aussi le péril où je m'exposois en
trompant la reine, et combien il étoit difficile de la
tromper; néanmoins, je ne pus me résoudre à refuser
ce que la fortune m'offroit, et je pris le hasard de
tout ce que ma mauvaise conduite pouvoit m'attirer.
Je rompis avec cette femme dont on pouvoit découvrir
le commerce, et j'espérai de cacher celui que j'avois
avec madame de Thémines.

Au bout des deux jours que la reine m'avoit donnés,
comme j'entrois dans la chambre où toutes les dames
étoient au cercle, elle me dit tout haut, avec un air
grave qui me surprit: Avez-vous pensé à cette affaire
dont je vous ai chargé, et en savez-vous la vérité? Oui,
madame, lui répondis-je, et elle est comme je l'ai dite
à Votre Majesté. Venez ce soir à l'heure que je dois
écrire, répliqua-t-elle, et j'achèverai de vous donner
mes ordres. Je fis une profonde révérence, sans rien
répondre, et ne manquai pas de me trouver à l'heure
qu'elle m'avoit marquée. Je la trouvai dans la galerie où
étoit son secrétaire et quelqu'une de ses femmes. Sitôt
qu'elle me vit, elle vint à moi, et me mena à l'autre
bout de la galerie. Hé bien! me dit-elle, est-ce après
y avoir bien pensé que vous n'avez rien à me dire; et
la manière dont j'en use avec vous, ne mérite-t-elle
pas que vous me parliez sincèrement? C'est parce que
je vous parle sincèrement, madame, lui répondis-je, que

je n'ai rien à vous dire; et je jure à Votre Majesté, avec tout le respect que je lui dois, que je n'ai d'attachement pour aucune femme de la cour. Je le veux croire, repartit la reine, parce que je le souhaite; et je le souhaite, parce que je désire que vous soyez entièrement attaché à moi, et qu'il seroit impossible que je fusse contente de votre amitié, si vous étiez amoureux. On ne peut se fier à ceux qui le sont; on ne peut s'assurer de leur secret. Ils sont trop distraits et trop partagés, et leur maîtresse leur fait une première occupation qui ne s'accorde point avec la manière dont je veux que vous soyez attaché à moi. Souvenez-vous donc que c'est sur la parole que vous me donnez, que vous n'avez aucun engagement, que je vous choisis pour vous donner toute ma confiance. Souvenez-vous que je veux la vôtre tout entière; que je veux que vous n'ayez ni ami, ni amie que ceux qui me seront agréables, et que vous abandonniez tout autre soin que celui de me plaire. Je ne vous ferai pas perdre celui de votre fortune; je la conduirai avec plus d'application que vous-même, et, quoi que je fasse pour vous, je m'en tiendrai trop bien récompensée, si je vous trouve pour moi tel que je l'espère. Je vous choisis pour vous confier tous mes chagrins, et pour m'aider à les adoucir. Vous pouvez juger qu'ils ne sont pas médiocres. Je souffre en apparence sans beaucoup de peine l'attachement du roi pour la duchesse de Valentinois; mais il m'est insupportable. Elle gouverne le roi; elle le trompe; elle me méprise; tous mes gens sont à elle. La reine, ma belle-fille, fière de sa beauté et du crédit de ses oncles, ne me rend aucun devoir. Le connétable de Montmorency est maître du roi et du royaume; il me hait, et m'a donné des marques de sa haine, que je ne puis oublier. Le maréchal de Saint-André est un jeune favori audacieux, qui n'en use pas mieux avec moi que les autres.

Le détail de mes malheurs vous feroit pitié; je n'ai
osé jusqu'ici me fier à personne; je me fie à vous;
faites que je ne m'en repente point, et soyez ma seule
consolation. Les yeux de la reine rougirent en achevant
ces paroles; je pensai me jeter à ses pieds, tant je
fus véritablement touché de la bonté qu'elle me témoignoit. Depuis ce jour-là, elle eut en moi une entière confiance; elle ne fit plus rien sans m'en parler, et j'ai
conservé une liaison qui dure encore.

TROISIÈME **PARTIE**

Cependant, quelque rempli et quelque occupé que je fusse de cette nouvelle liaison avec la reine, je tenois à madame de Thémines par une inclination naturelle que je ne pouvois vaincre: il me parut qu'elle cessoit de m'aimer, et, au lieu que, si j'eusse été sage, je me fusse servi du changement qui paroissoit en elle pour aider à me guérir, mon amour en redoubla, et je me conduisois si mal, que la reine eut quelque connoissance de cet attachement. La jalousie est naturelle aux personnes de sa nation, et peut-être que cette princesse a pour moi des sentiments plus vifs qu'elle ne pense elle-même. Mais enfin le bruit que j'étois amoureux lui donna de si grandes inquiétudes et de si grands chagrins que je me crus cent fois perdu auprès d'elle. Je la rassurai enfin à force de soins, de soumissions et de faux serments; mais je n'aurois pu la tromper longtemps, si le changement de madame de Thémines ne m'avoit détaché d'elle malgré moi. Elle me fit voir qu'elle ne m'aimoit plus; et j'en fus si persuadé, que je fus contraint de ne la pas tourmenter davantage, et de la laisser en repos. Quelque temps après, elle m'écrivit cette lettre que j'ai perdue. J'appris par là qu'elle avoit su le commerce que j'avois eu avec cette autre femme dont je vous ai parlé, et que c'étoit la cause de son changement. Comme je n'avois plus rien alors qui me partageât, la reine étoit assez contente de moi; mais comme les sentiments que j'ai pour elle ne sont pas d'une nature à me rendre incapable de tout autre attachement, et que l'on n'est

pas amoureux par sa volonté, je le suis devenu de
madame de Martigues, pour qui j'avois déjà eu beaucoup d'inclination pendant qu'elle étoit Villemontais,
fille de la reine dauphine. J'ai lieu de croire que je
n'en suis pas haï; la discrétion que je lui fais paroître,
et dont elle ne sait pas toutes les raisons, lui est agréable. La reine n'a aucun soupçon sur son sujet; mais
elle en a un autre qui n'est guère moins fâcheux. Comme
madame de Martigues est toujours chez la reine dauphine, j'y vais aussi beaucoup plus souvent que de
coutume. La reine s'est imaginé que c'est de cette princesse que je suis amoureux. Le rang de la reine dauphine,
qui est égal au sien, et la beauté et la jeunesse qu'elle
a au-dessus d'elle, lui donnent une jalousie qui va
jusqu'à la fureur, et une haine contre sa belle-fille qu'elle
ne sauroit plus cacher. Le cardinal de Lorraine, qui
me paroît, depuis longtemps, aspirer aux bonnes grâces
de la reine, et qui voit bien que j'occupe une place qu'il
voudroit remplir, sous prétexte de raccommoder madame la dauphine avec elle, est entré dans les différends
qu'elles ont eu ensemble. Je ne doute pas qu'il n'ait
démêlé le véritable sujet de l'aigreur de la reine, et
je crois qu'il me rend toutes sortes de mauvais offices,
sans lui laisser voir qu'il a dessein de me les rendre.
Voilà l'état où sont les choses à l'heure que je vous
parle. Jugez quel effet peut produire la lettre que j'ai
perdue, et que mon malheur m'a fait mettre dans ma
poche, pour la rendre à madame de Thémines. Si la
reine voit cette lettre, elle connoîtra que je l'ai trompée, et que, presque dans le temps que je la trompois
pour madame de Thémines, je trompois madame de Thémines pour une autre: jugez quelle idée cela lui peut
donner de moi, et si elle peut jamais se fier à mes
paroles. Si elle ne voit point cette lettre, que lui dirai-
je? Elle sait qu'on l'a remise entre les mains de ma-

dame la dauphine; elle croira que Châtelart a reconnu l'écriture de cette reine, et que la lettre est d'elle; elle s'imaginera que la personne dont on témoigne de la jalousie est peut-être elle-même; enfin, il n'y a rien qu'elle n'ait lieu de penser, et il n'y a rien que je ne doive craindre de ses pensées. Ajoutez à cela que je suis vivement touché de madame de Martigues; qu'assurément madame la dauphine lui montrera cette lettre qu'elle croira écrite depuis peu; ainsi je serai également brouillé, et avec la personne du monde que j'aime le plus, et avec la personne que je dois le plus craindre. Voyez, après cela, si je n'ai pas raison de vous conjurer de dire que la lettre est à vous, et de vous demander, en grâce, de l'aller retirer des mains de madame la dauphine.

Je vois bien, dit monsieur de Nemours, que l'on ne peut être dans un plus grand embarras que celui où vous êtes, et il faut avouer que vous le méritez. On m'a accusé de n'être pas un amant fidèle, et d'avoir plusieurs galanteries à la fois; mais vous me passez de si loin, que je n'aurois seulement osé imaginer les choses que vous avez entreprises. Pouviez-vous prétendre de conserver madame de Thémines en vous engageant avec la reine? et espériez-vous de vous engager avec la reine, et de la pouvoir tromper? Elle est Italienne, et reine, et par conséquent pleine de soupçons, de jalousie et d'orgueil: quand votre bonne fortune, plutôt que votre bonne conduite, vous a ôté des engagements où vous étiez, vous en avez pris de nouveaux, et vous vous êtes imaginé qu'au milieu de la cour vous pourriez aimer madame de Martigues sans que la reine s'en aperçût. Vous ne pouviez prendre trop de soins de lui ôter la honte d'avoir fait les premiers pas. Elle a pour vous une passion violente: votre discrétion vous empêche de me le dire, et la mienne de vous le demander; mais

enfin elle vous aime; elle a de la défiance, et la vérité
est contre vous. Est-ce à vous à m'accabler de répri-
mandes, interrompit le vidame, et votre expérience ne
vous doit-elle pas donner de l'indulgence pour mes
fautes? Je veux pourtant bien convenir que j'ai tort;
mais songez, je vous conjure, à me tirer de l'abîme
où je suis. Il me paroît qu'il faudroit que vous vissiez
la reine dauphine sitôt qu'elle sera éveillée, pour lui
redemander cette lettre, comme l'ayant perdue. Je vous
ai déjà dit, reprit monsieur de Nemours, que la proposition que vous me faites est un peu extraordinaire, et
que mon intérêt particulier m'y peut faire trouver des
difficultés; mais, de plus, si l'on a vu tomber cette
lettre de votre poche, il me paroît difficile de persuader
qu'elle soit tombée de la mienne. Je croyois vous avoir
appris, répondit le vidame, que l'on a dit à la reine
dauphine que c'étoit de la vôtre qu'elle étoit tombée.
Comment! reprit brusquement monsieur de Nemours,
qui vit dans ce moment les mauvais offices que cette
méprise lui pouvoit faire auprès de madame de Clèves,
l'on a dit à la reine dauphine que c'est moi qui ai
laissé tomber cette lettre? Oui, reprit le vidame, on le
lui a dit; et ce qui a fait cette méprise, c'est qu'il y
avoit plusieurs gentilshommes des reines dans une des
chambres du jeu de paume où étoient nos habits, et que
vos gens et les miens les ont été quérir. En même temps
la lettre est tombée; ces gentilshommes l'ont ramassée,
et l'ont lue tout haut. Les uns ont cru qu'elle étoit à
vous, et les autres à moi. Châtelart, qui l'a prise, et à
qui je viens de la faire demander, a dit qu'il l'avoit
donnée à la reine dauphine, comme une lettre qui étoit
à vous; et ceux qui en ont parlé à la reine ont dit, par
malheur, qu'elle étoit à moi; ainsi vous pouvez faire
aisément ce que je souhaite, et m'ôter de l'embarras où
je suis.

Monsieur de Nemours avoit toujours fort aimé le vidame de Chartres, et ce qu'il étoit à madame de Clèves le lui rendoit encore plus cher. Néanmoins il ne pouvoit se résoudre à prendre le hasard qu'elle entendît parler de cette lettre comme d'une chose où il avoit intérêt. Il se mit à rêver profondément, et le vidame se doutant à peu près du sujet de sa rêverie: Je crois bien, lui dit-il, que vous craignez de vous brouiller avec votre maîtresse, et même vous me donneriez lieu de croire que c'est avec la reine dauphine, si le peu de jalousie que je vous vois de monsieur d'Anville ne m'en ôtoit la pensée; mais, quoi qu'il en soit, il est juste que vous ne sacrifiiez pas votre repos au mien, et je veux bien vous donner les moyens de faire voir à celle que vous aimez que cette lettre s'adresse à moi, et non pas à vous: voilà un billet de madame d'Amboise, qui est amie de madame de Thémines, et à qui elle s'est fiée de tous les sentiments qu'elle a eus pour moi. Par ce billet elle me redemande cette lettre de son amie, que j'ai perdue. Mon nom est sur le billet; et ce qui est dedans prouve, sans aucun doute, que la lettre que l'on me redemande est la même que l'on a trouvée. Je vous remets ce billet entre les mains, et je consens que vous le montriez à votre maîtresse pour vous justifier. Je vous conjure de ne perdre pas un moment, et d'aller dès ce matin chez madame la dauphine.

Monsieur de Nemours le promit au vidame de Chartres, et prit le billet de madame d'Amboise: néanmoins son dessein n'étoit pas de voir la reine dauphine; et il trouvoit qu'il avoit quelque chose de plus pressé à faire. Il ne doutoit pas qu'elle n'eût déjà parlé de la lettre à madame de Clèves, et il ne pouvoit supporter qu'une personne qu'il aimoit si éperdument eût lieu de croire qu'il eût quelque attachement pour une autre.

Il alla chez elle à l'heure qu'il crut qu'elle pouvoit

être éveillée, et lui fit dire qu'il ne demanderoit pas à
avoir l'honneur de la voir à une heure si extraordinaire,
si une affaire de conséquence ne l'y obligeoit. Madame
de Clèves étoit encore au lit, l'esprit aigri et agité des
tristes pensées qu'elle avoit eues pendant la nuit. Elle
fut extrêmement surprise, lorsqu'on lui dit que monsieur de Nemours la demandoit. L'aigreur où elle étoit
ne la fit pas balancer à répondre qu'elle étoit malade,
et qu'elle ne pouvoit lui parler.

Ce prince ne fut pas blessé de ce refus; une marque
de froideur dans un temps où elle pouvoit avoir de la
jalousie n'étoit pas un mauvais augure. Il alla à l'appartement de monsieur de Clèves, et lui dit qu'il venoit
de celui de madame sa femme; qu'il étoit bien fâché de
ne la pouvoir entretenir, parce qu'il avoit à lui parler
d'une affaire importante pour le vidame de Chartres.
Il fit entendre en peu de mots à monsieur de Clèves
la conséquence de cette affaire, et monsieur de Clèves
le mena à l'heure même dans la chambre de sa femme.
Si elle n'eût point été dans l'obscurité, elle eût eu
peine à cacher son trouble et son étonnement de voir
entrer monsieur de Nemours conduit par son mari. Monsieur de Clèves lui dit qu'il s'agissoit d'une lettre, où
l'on avoit besoin de son secours pour les intérêts du
vidame; qu'elle verroit avec monsieur de Nemours ce
qu'il y avoit à faire, et que, pour lui, il s'en alloit chez
le roi qui venoit de l'envoyer quérir.

Monsieur de Nemours demeura seul auprès de madame
de Clèves, comme il le pouvoit souhaiter. Je viens
vous demander, madame, lui dit-il, si madame la dauphine ne vous a point parlé d'une lettre que Châtelart
lui remit hier entre les mains. Elle m'en a dit quelque
chose, répondit madame de Clèves; mais je ne vois pas
ce que cette lettre a de commun avec les intérêts de
mon oncle, et je vous puis assurer qu'il n'y est pas

nommé. Il est vrai, madame, répliqua monsieur de Nemours: il n'y est pas nommé; néanmoins, elle s'addresse à lui, et il lui est très important que vous la retiriez des mains de madame la dauphine. J'ai peine à comprendre, reprit madame de Clèves, pourquoi il lui importe que cette lettre ne soit pas vue, et pourquoi il faut la redemander sous son nom. Si vous voulez vous donner le loisir de m'écouter, madame, dit monsieur de Nemours, je vous ferai bientôt voir la vérité, et vous apprendrez des choses si importantes pour monsieur le vidame, que je ne les aurois pas même confiées à monsieur le prince de Clèves, si je n'avois eu besoin de son secours pour avoir l'honneur de vous voir. Je pense que tout ce que vous prendriez la peine de me dire seroit inutile, répondit madame de Clèves avec un air assez sec; et il vaut mieux que vous alliez trouver la reine dauphine, et que, sans chercher de détours, vous lui disiez l'intérêt que vous avez à cette lettre, puisque aussi bien on lui a dit qu'elle vient de vous.

L'aigreur que monsieur de Nemours voyoit dans l'esprit de madame de Clèves lui donnoit le plus sensible plaisir qu'il eût jamais eu, et balançoit son impatience de se justifier. Je ne sais, madame, reprit-il, ce qu'on peut avoir dit à madame la dauphine; mais je n'ai aucun intérêt à cette lettre, et elle s'adresse à monsieur le vidame. Je le crois, répliqua madame de Clèves; mais on a dit le contraire à la reine dauphine, et il ne lui paroîtra pas vraisemblable que les lettres de monsieur le vidame tombent de vos poches: c'est pourquoi, à moins que vous n'ayez quelque raison que je ne sais point à cacher la vérité à la reine dauphine, je vous conseille de la lui avouer. Je n'ai rien à lui avouer, reprit-il, la lettre ne s'adresse pas à moi, et s'il y a quelqu'un que je souhaite d'en persuader, ce n'est pas madame la dauphine; mais, madame, comme

il s'agit en ceci de la fortune de monsieur le vidame,
trouvez bon que je vous apprenne des choses qui sont
même dignes de votre curiosité. Madame de Clèves
témoigna par son silence qu'elle étoit prête à l'écouter;
et monsieur de Nemours lui conta, le plus succinctement
qu'il lui fut possible, tout ce qu'il venoit d'apprendre
du vidame. Quoique ce fussent des choses propres à
donner de l'étonnement, et à être écoutées avec attention,
madame de Clèves les entendit avec une froideur si
grande, qu'il sembloit qu'elle ne les crût pas véritables,
ou qu'elles lui fussent indifférentes. Son esprit demeura
dans cette situation jusqu'à ce que monsieur de Nemours lui parla du billet de madame d'Amboise, qui
s'adressoit au vidame de Chartres, et qui étoit la preuve
de tout ce qu'il lui venoit de dire. Comme madame de
Clèves savoit que cette femme étoit amie de madame
de Thémines, elle trouva une apparence de vérité à ce
que lui disoit monsieur de Nemours, qui lui fit penser
que la lettre ne s'adressoit peut-être pas à lui. Cette
pensée la tira, tout d'un coup, et malgré elle, de la
froideur qu'elle avoit eue jusqu'alors. Ce prince, après
lui avoir lu ce billet qui faisoit sa justification, le lui
présenta pour le lire, et lui dit qu'elle en pouvoit connoître l'écriture; elle ne put s'empêcher de le prendre,
de regarder le dessus pour voir s'il s'adressoit au vidame de Chartres, et de le lire tout entier pour juger si
la lettre que l'on redemandoit étoit la même qu'elle avoit
entre les mains. Monsieur de Nemours lui dit encore
tout ce qu'il crut propre à la persuader; et, comme on
persuade aisément une vérité agréable, il convainquit
madame de Clèves qu'il n'avoit point de part à cette
lettre.

Elle commença alors à raisonner avec lui sur l'embarras et le péril où étoit le vidame, à le blâmer de sa
méchante conduite, à chercher les moyens de le secourir:

elle s'étonna du procédé de la reine; elle avoua à monsieur de Nemours qu'elle avoit la lettre; enfin, sitôt qu'elle le crut innocent, elle entra avec un esprit ouvert et tranquille dans les mêmes choses qu'elle sembloit d'abord ne daigner pas entendre. Ils convinrent qu'il ne falloit point rendre la lettre à la reine dauphine, de peur qu'elle ne la montrât à madame de Martigues, qui connoissoit l'écriture de madame de Thémines, et qui auroit aisément deviné, par l'intérêt qu'elle prenoit au vidame, qu'elle s'adressoit à lui. Ils trouvèrent aussi qu'il ne falloit pas confier à la reine dauphine tout ce qui regardoit la reine, sa belle-mère. Madame de Clèves, sous le prétexte des affaires de son oncle, entroit avec plaisir à garder tous les secrets que monsieur de Nemours lui confioit.

Ce prince ne lui eût pas toujours parlé des intérêts du vidame, et la liberté où il se trouvoit de l'entretenir lui eût donné une hardiesse qu'il n'avoit encore osé prendre, si l'on ne fût venu dire à madame de Clèves que la reine dauphine lui ordonnoit de l'aller trouver. Monsieur de Nemours fut contraint de se retirer. Il alla trouver le vidame, pour lui dire qu'après l'avoir quitté, il avoit pensé qu'il étoit plus à propos de s'adresser à madame de Clèves, qui étoit sa nièce, que d'aller droit à madame la dauphine. Il ne manqua pas de raisons pour faire approuver ce qu'il avoit fait, et pour en faire espérer un bon succès.

Cependant madame de Clèves s'habilla en diligence pour aller chez la reine. A peine parut-elle dans sa chambre, que cette princesse la fit approcher, et lui dit tout bas: Il y a deux heures que je vous attends, et jamais je n'ai été si embarrassée à déguiser la vérité que je l'ai été ce matin. La reine a entendu parler de la lettre que je vous donnai hier; elle croit que c'est le vidame de Chartres qui l'a laissée tomber. Vous savez

qu'elle y prend quelque intérêt: elle a fait chercher
cette lettre; elle l'a faite demander à Châtelart; il a
dit qu'il me l'avoit donnée: on me l'est venu demander,
sur le prétexte que c'étoit une jolie lettre qui donnoit
de la curiosité à la reine. Je n'ai osé dire que vous
l'aviez; j'ai cru qu'elle s'imagineroit que je vous l'avois
mise entre les mains, à cause du vidame, votre oncle,
et qu'il y auroit une grande intelligence entre lui et
moi. Il m'a déjà paru qu'elle souffroit avec peine qu'il
me vît souvent; de sorte que j'ai dit que la lettre étoit
dans les habits que j'avois hier, et que ceux qui en
avoient la clef étoient sortis. Donnez-moi promptement
cette lettre, ajouta-t-elle, afin que je la lui envoie, et
que je la lise avant que de l'envoyer, pour voir si je
n'en connoîtrai point l'écriture.

Madame de Clèves se trouva encore plus embarrassée
qu'elle n'avoit pensé. Je ne sais, madame, comment vous
ferez, répondit-elle; car monsieur de Clèves, à qui je
l'avois donnée à lire, l'a rendue à monsieur de Nemours,
qui est venu, dès ce matin, le prier de vous la redemander. Monsieur de Clèves a eu l'imprudence de lui
dire qu'il l'avoit, et il a eu la foiblesse de céder aux
prières que monsieur de Nemours lui a faites de la lui
rendre. Vous me mettez dans le plus grand embarras
où je puisse jamais être, repartit madame la dauphine,
et vous avez tort d'avoir rendu cette lettre à monsieur
de Nemours; puisque c'étoit moi qui vous l'avois donnée,
vous ne deviez point la rendre sans ma permission. Que
voulez-vous que je dise à la reine, et que pourra-t-elle
s'imaginer? Elle croira, et avec apparence que cette
lettre me regarde, et qu'il y a quelque chose entre le
vidame et moi. Jamais on ne lui persuadera que cette
lettre soit à monsieur de Nemours. Je suis très affligée,
répondit madame de Clèves, de l'embarras que je vous
cause; je le crois aussi grand qu'il est; mais c'est la

faute de monsieur de Clèves, et non pas la mienne.
C'est la vôtre, répliqua madame la dauphine, de lui
avoir donné la lettre, et il n'y a que vous de femme au
monde qui fasse confidence à son mari de toutes les
choses qu'elle sait. Je crois que j'ai tort, madame, répliqua madame de Clèves ; mais songez à réparer ma faute
et non pas à l'examiner. Ne vous souvenez-vous point,
à peu près, de ce qui est dans cette lettre ? dit alors la
reine dauphine. Oui, madame, répondit-elle, je m'en
souviens, et l'ai relue plus d'une fois. Si cela est, reprit
madame la dauphine, il faut que vous alliez tout à
l'heure la faire écrire d'une main inconnue ; je l'en-
verrai à la reine : elle ne la montrera pas à ceux qui
l'ont vue ; quand elle le feroit, je soutiendrai toujours
que c'est celle que Châtelart m'a donnée, et il n'oseroit
dire le contraire.

Madame de Clèves entra dans cet expédient, et d'autant plus, qu'elle pensa qu'elle enverroit quérir monsieur de Nemours pour ravoir la lettre même, afin de la
faire copier mot à mot, et d'en faire, à peu près, imiter
l'écriture, et elle crut que la reine y seroit infailliblement trompée. Sitôt qu'elle fut chez elle, elle conta à
son mari l'embarras de madame la dauphine, et le pria
d'envoyer chercher monsieur de Nemours. On le chercha ;
il vint en diligence. Madame de Clèves lui dit tout ce
qu'elle avoit déjà appris à son mari, et lui demanda
la lettre ; mais monsieur de Nemours répondit qu'il
l'avoit déjà rendue au vidame de Chartres, qui avoit
eu tant de joie de la ravoir et de se trouver hors du
péril qu'il auroit couru, qu'il l'avoit renvoyée à l'heure
même à l'amie de madame de Thémines. Madame de
Clèves se retrouva dans un nouvel embarras ; et enfin,
après avoir bien consulté, ils résolurent de faire la
lettre de mémoire. Ils s'enfermèrent pour y travailler ;
on donna ordre à la porte de ne laisser entrer personne,

et on renvoya tous les gens de monsieur de Nemours.
Cet air de mystère et de confidence n'étoit pas d'un
médiocre charme pour ce prince et même pour madame
de Clèves. La présence de son mari et les intérêts du
vidame de Chartres la rassuroient, en quelque sorte, sur
ses scrupules; elle ne sentoit que le plaisir de voir monsieur de Nemours; elle en avoit une joie pure et sans
mélange qu'elle n'avoit jamais sentie; cette joie lui
donnoit une liberté et un enjouement dans l'esprit que
monsieur de Nemours ne lui avoit jamais vue, et qui
redoubloit son amour. Comme il n'avoit point eu encore
de si agréables moments, sa vivacité en étoit augmentée;
et, quand madame de Clèves voulut commencer à se
souvenir de la lettre et à l'écrire, ce prince, au lieu de
lui aider sérieusement, ne faisoit que l'interrompre et
lui dire des choses plaisantes. Madame de Clèves entra
dans le même esprit de gaieté, de sorte qu'il y avoit
déjà longtemps qu'ils étoient enfermés, et on étoit
déjà venu deux fois de la part de la reine dauphine,
pour dire à madame de Clèves de se dépêcher, qu'ils
n'avoient pas encore fait la moitié de la lettre.

Monsieur de Nemours étoit bien aise de faire durer
un temps qui lui étoit si agréable, et oublioit les intérêts de son ami. Madame de Clèves ne s'ennuyoit
pas, et oublioit aussi les intérêts de son oncle. Enfin, à
peine à quatre heures, la lettre étoit-elle achevée, et elle
étoit si mal, et l'écriture dont on la fit copier ressem-
bloit si peu à celle que l'on avoit eu dessein d'imiter,
qu'il eût fallu que la reine n'eût guère pris de soin
d'éclaircir la vérité pour ne la pas connoître; aussi n'y
fut-elle pas trompée. Quelque soin que l'on prit de lui
persuader que cette lettre s'adressoit à monsieur de
Nemours, elle demeura convaincue, non seulement qu'elle
étoit au vidame de Chartres, mais elle crut que la reine
dauphine y avoit part, et qu'il y avoit quelque intelli-

gence entre eux: cette pensée augmenta tellement la
haine qu'elle avoit pour cette princesse, qu'elle ne lui
pardonna jamais, et qu'elle la persécuta jusqu'à ce
qu'elle l'eût fait sortir de France.

Pour le vidame de Chartres, il fut ruiné auprès d'elle;
et, soit que le cardinal de Lorraine se fût déjà rendu
maître de son esprit, ou que l'aventure de cette lettre,
qui lui fit voir qu'elle étoit trompée, lui aidât à démêler
les autres tromperies que le vidame lui avoit déjà faites,
il est certain qu'il ne put jamais se raccommoder sincèrement avec elle. Leur liaison se rompit, et elle le perdit ensuite à la conjuration d'Amboise, où il se trouva
embarrassé.

Après qu'on eut envoyé la lettre à madame la dauphine, monsieur de Clèves et monsieur de Nemours s'en
allèrent. Madame de Clèves demeura seule, et, sitôt
qu'elle ne fût plus soutenue par cette joie que donne
la présence de ce que l'on aime, elle revint comme d'un
songe; elle regarda avec étonnement la prodigieuse différence de l'état où elle étoit le soir, d'avec celui où
elle se trouvoit alors; elle se remit devant les yeux
l'aigreur et la froideur qu'elle avoit fait paroître à
monsieur de Nemours, tant qu'elle avoit cru que la lettre
de madame de Thémines s'adressoit à lui; quel calme
et quelle douceur avoit succédé à cette aigreur, sitôt
qu'il l'avoit persuadée que cette lettre ne le regardoit
pas. Quand elle pensoit qu'elle s'étoit reproché comme
un crime, le jour précédent, de lui avoir donné des
marques de sensibilité que la seule compassion pouvoit
avoir fait naître, et que, par son aigreur, elle lui avoit
fait paroître des sentiments de jalousie qui étoient des
preuves certaines de passion, elle ne se reconnoissoit
plus elle-même; quand elle pensoit encore que monsieur
de Nemours voyoit bien qu'elle connoissoit son amour,
qu'il voyoit bien aussi que, malgré cette connoissance,

elle ne l'en traitoit pas plus mal en présence même de
son mari; qu'au contraire, elle ne l'avoit jamais regardé si favorablement; qu'elle étoit cause que monsieur
de Clèves l'avoit envoyé quérir, et qu'ils venoient de
passer une après-dînée ensemble en particulier, elle trouvoit qu'elle étoit d'intelligence avec monsieur de Nemours, qu'elle trompoit le mari du monde qui méritoit
le moins d'être trompé, et elle étoit honteuse de paroître si peu digne d'estime aux yeux même de son amant.
Mais ce qu'elle pouvoit moins supporter que tout le reste
étoit le souvenir de l'état où elle avoit passé la nuit,
et les cuisantes douleurs que lui avoit causé la pensée
que monsieur de Nemours aimoit ailleurs, et qu'elle
étoit trompée.

Elle avoit ignoré jusqu'alors les inquiétudes mortelles
de la défiance et de la jalousie; elle n'avoit pensé
qu'à se défendre d'aimer monsieur de Nemours, et elle
n'avoit point encore commencé à craindre qu'il en aimât
une autre. Quoique les soupçons que lui avoit donné
cette lettre fussent effacés, ils ne laissèrent pas de lui
ouvrir les yeux sur le hasard d'être trompée, et de lui
donner des impressions de défiance et de jalousie qu'elle
n'avoit jamais eues. Elle fut étonnée de n'avoir point
encore pensé combien il étoit peu vraisemblable qu'un
homme comme monsieur de Nemours, qui avoit toujours
fait paroître tant de légèreté parmi les femmes, fût
capable d'un attachement sincère et durable. Elle trouva
qu'il étoit presque impossible qu'elle pût être contente
de sa passion; mais, quand je le pourrois être, disoit-
elle, qu'en veux-je faire? Veux-je la souffrir? Veux-je y
répondre? Veux-je m'engager dans une galanterie?
Veux-je manquer à monsieur de Clèves? Veux-je me
manquer à moi-même? Et veux-je enfin m'exposer aux
cruels repentirs et aux mortelles douleurs que donne
l'amour? Je suis vaincue et surmontée par une inclina-

tion qui m'entraîne malgré moi; toutes mes résolutions
sont inutiles; je pensai hier tout ce que je pense aujourd'hui, et je fais aujourd'hui tout le contraire de ce
que je résolus hier. Il faut m'arracher de la présence
de monsieur de Nemours; il faut m'en aller à la campagne, quelque bizarre que puisse paroître mon voyage;
et, si monsieur de Clèves s'opiniâtre à l'empêcher, ou
à en vouloir savoir les raisons, peut-être lui ferai-je
le mal, et à moi-même aussi, de les lui apprendre. Elle
demeura dans cette résolution, et passa tout le soir chez
elle, sans aller savoir de madame la dauphine ce qui
étoit arrivé de la fausse lettre du vidame.

   Quand monsieur de Clèves fut revenu, elle lui dit
qu'elle vouloit aller à la campagne, qu'elle se trouvoit
mal, et qu'elle avoit besoin de prendre l'air. Monsieur
de Clèves, à qui elle paroissoit d'une beauté qui ne lui
persuadoit pas que ses maux fussent considérables, se
moqua d'abord de la proposition de ce voyage, et lui
répondit qu'elle oublioit que les noces des princesses et
le tournoi s'alloient faire, et qu'elle n'avoit pas trop
de temps pour se préparer à y paroître avec la même
magnificence que les autres femmes. Les raisons de son
mari ne la firent pas changer de dessein; elle le pria
de trouver bon que, pendant qu'il iroit à Compiègne avec
le roi, elle allât à Coulommiers, qui étoit une belle maison, à une journée de Paris, qu'ils faisoient bâtir avec
soin. Monsieur de Clèves y consentit; elle y alla dans
le dessein de n'en pas revenir sitôt, et le roi partit pour
Compiègne, où il ne devoit être que peu de jours.

   Monsieur de Nemours avoit eu bien de la douleur de
n'avoir point revu madame de Clèves depuis cette après-
dînée qu'il avoit passée avec elle si agréablement, et
qui avoit augmenté ses espérances. Il avoit une impatience de la revoir qui ne lui donnoit point de repos, de
sorte que, quand le roi revint à Paris, il résolut d'aller

chez sa sœur la duchesse de Mercœur, qui étoit à la
campagne, assez près de Coulommiers. Il proposa au
vidame d'y aller avec lui, qui accepta aisément cette
proposition et monsieur de Nemours la fit dans l'espérance de voir madame de Clèves, et d'aller chez elle
avec le vidame.

Madame de Mercœur les reçut avec beaucoup de joie,
et ne pensa qu'à les divertir et à leur donner tous les
plaisirs de la campagne. Comme ils étoient à la chasse
à courir le cerf, monsieur de Nemours s'égara dans la
forêt. En s'enquérant du chemin qu'il devoit tenir pour
s'en retourner, il sut qu'il étoit proche de Coulommiers.
A ce mot de Coulommiers, sans faire aucune réflexion,
et sans savoir quel étoit son dessein, il alla à toute
bride du côté qu'on lui montroit. Il arriva dans la
forêt, et se laissa conduire au hasard par des routes
faites avec soin, qu'il jugea bien qui conduisoient vers
le château. Il trouva, au bout de ces routes, un pavillon dont le dessous étoit un grand salon accompagné
de deux cabinets, dont l'un étoit ouvert sur un jardin
de fleurs, qui n'étoit séparé de la forêt que par des
palissades, et le second donnoit sur une grande allée du
parc. Il entra dans le pavillon, et il se seroit arrêté à
en regarder la beauté, sans qu'il vît venir par cette allée
du parc monsieur et madame de Clèves, accompagnés
d'un grand nombre de domestiques. Comme il ne s'étoit
pas attendu à trouver monsieur de Clèves qu'il avoit
laissé auprès du roi, son premier mouvement le porta à
se cacher: il entra dans le cabinet qui donnoit sur le
jardin de fleurs, dans la pensée d'en ressortir par une
porte qui étoit ouverte sur la forêt; mais, voyant que
madame de Clèves et son mari s'étoient assis sous le
pavillon, que leurs domestiques demeuroient dans le
parc, et qu'ils ne pouvoient venir à lui sans passer dans
le lieu où étoient monsieur et madame de Clèves, il ne

put se refuser le plaisir de voir cette princesse, ni résister à la curiosité d'écouter sa conversation avec un
mari qui lui donnoit plus de jalousie qu'aucun de ses
rivaux.

Il entendit que monsieur de Clèves disoit à sa femme:
Mais pourquoi ne voulez-vous point revenir à Paris?
Qui vous peut retenir à la campagne? Vous avez depuis
quelque temps un goût pour la solitude qui m'étonne
et qui m'afflige, parce qu'il nous sépare. Je vous trouve
même plus triste que de coutume, et je crains que vous
n'ayez quelque sujet d'affliction. Je n'ai rien de fâcheux
dans l'esprit, répondit-elle avec un air embarrassé; mais
le tumulte de la cour est si grand, et il y a toujours
un si grand monde chez vous, qu'il est impossible que
le corps et l'esprit ne se lassent, et que l'on ne cherche
du repos. Le repos, répliqua-t-il, n'est guère propre
pour une personne de votre âge. Vous êtes, chez vous
et dans la cour, d'une sorte à ne vous pas donner de
lassitude, et je craindrois plutôt que vous ne fussiez
bien aise d'être séparée de moi. Vous me feriez une
grande injustice d'avoir cette pensée, reprit-elle avec
un embarras qui augmentoit toujours: mais je vous
supplie de me laisser ici. Si vous y pouviez demeurer,
j'en aurois beaucoup de joie, pourvu que vous y de-
meurassiez seul, et que vous voulussiez bien n'y avoir
point ce nombre infini de gens qui ne vous quittent quasi
jamais. Ah! madame! s'écria monsieur de Clèves, votre
air et vos paroles me font voir que vous avez des raisons
pour souhaiter d'être seule, que je ne sais point, et je
vous conjure de me les dire. Il la pressa longtemps de
les lui apprendre sans pouvoir l'y obliger; et, après
qu'elle se fut défendue d'une manière qui augmentoit
toujours la curiosité de son mari, elle demeura dans un
profond silence, les yeux baissés: puis tout d'un coup,
prenant la parole et le regardant: Ne me contraignez

point, lui dit-elle, à vous avouer une chose que je n'ai
pas la force de vous avouer, quoique j'en aie eu plusieurs fois le dessein. Songez seulement que la prudence
ne veut pas qu'une femme de mon âge, et maîtresse de
sa conduite, demeure exposée au milieu de la cour. Que
me faites-vous envisager, madame! s'écria monsieur de
Clèves; je n'oserois vous le dire de peur de vous offenser.
Madame de Clèves ne répondit point: et son silence
achevant de confirmer son mari dans ce qu'il avoit pensé:
Vous ne me dites rien, reprit-il, et c'est me dire que
je ne me trompe pas. Eh bien, monsieur, lui répondit-
elle en se jetant à ses genoux, je vais vous faire un
aveu que l'on n'a jamais fait à son mari; mais l'innocence de ma conduite et de mes intentions m'en donne
la force. Il est vrai que j'ai des raisons de m'éloigner
de la cour, et que je veux éviter les périls où se trouvent quelquefois les personnes de mon âge. Je n'ai jamais donné nulle marque de foiblesse, et je ne craindrois pas d'en laisser paroître, si vous me laissiez la
liberté de me retirer de la cour, ou si j'avois encore
madame de Chartres pour aider à me conduire. Quelque
dangereux que soit le parti que je prends, je le prends
avec joie pour me conserver digne d'être à vous. Je
vous demande mille pardons, si j'ai des sentiments qui
vous déplaisent: du moins je ne vous déplairai jamais
par mes actions. Songez que, pour faire ce que je fais,
il faut avoir plus d'amitié et plus d'estime pour un
mari que l'on n'en a jamais eu: conduisez-moi, ayez
pitié de moi, et aimez-moi encore, si vous pouvez.

Monsieur de Clèves étoit demeuré, pendant tout ce
discours, la tête appuyée sur ses mains, hors de lui-
même, et il n'avoit pas songé à faire relever sa femme.
Quand elle eut cessé de parler, qu'il jeta les yeux sur
elle, qu'il la vit à ses genoux, le visage couvert de
larmes, et d'une beauté si admirable, il pensa mourir

de douleur, et l'embrassant en la relevant: Ayez pitié
de moi, vous-même, madame, lui dit-il, j'en suis digne,
et pardonnez si dans les premiers moments d'une affliction aussi violente qu'est la mienne, je ne réponds
pas comme je dois à un procédé comme le vôtre. Vous
me paroissez plus digne d'estime et d'admiration que
tout ce qu'il y a jamais eu de femmes au monde; mais
aussi je me trouve le plus malheureux homme qui ait
jamais été. Vous m'avez donné de la passion dès le
premier moment que je vous ai vue; vos rigueurs et
votre possession n'ont pu l'éteindre, elle dure encore:
je n'ai jamais pu vous donner de l'amour, et je vois
que vous craignez d'en avoir pour un autre. Et qui est-il,
madame, cet homme heureux qui vous donne cette
crainte? Depuis quand vous plaît-il? Qu'a-t-il fait pour
vous plaire? Quel chemin a-t-il trouvé pour aller à
votre cœur? Je m'étois consolé en quelque sorte de ne
l'avoir pas touché, par la pensée qu'il étoit incapable
de l'être. Cependant un autre fait ce que je n'ai pu
faire: j'ai tout ensemble la jalousie d'un mari et celle
d'un amant; mais il est impossible d'avoir celle d'un
mari après un procédé comme le vôtre. Il est trop noble
pour ne me pas donner une sûreté entière; il me con-
sole même comme votre amant. La confiance et la sincérité que vous avez pour moi sont d'un prix infini: vous
m'estimez assez pour croire que je n'abuserai pas de cet
aveu. Vous avez raison, madame, je n'en abuserai pas,
et je ne vous en aimerai pas moins. Vous me rendez
malheureux par la plus grande marque de fidélité que
jamais une femme ait donnée à son mari; mais, madame,
achevez, et apprenez-moi qui est celui que vous voulez
éviter. Je vous supplie de ne me le point demander,
répondit-elle; je suis résolue de ne vous le pas dire,
et je crois que la prudence ne veut pas que je vous
le nomme. Ne craignez point, madame, reprit monsieur

de Clèves; je connois trop le monde pour ignorer que la
considération d'un mari n'empêche pas que l'on ne soit
amoureux de sa femme. On doit haïr ceux qui le sont,
et non pas s'en plaindre; et, encore une fois, madame,
je vous conjure de m'apprendre ce que j'ai envie de
savoir. Vous m'en presseriez inutilement, répliqua-t-elle;
j'ai de la force pour taire ce que je ne crois pas devoir
dire. L'aveu que je vous ai fait n'a pas été par foiblesse,
et il faut plus de courage pour avouer cette vérité que
pour entreprendre de la cacher.

Monsieur de Nemours ne perdoit pas une parole de
cette conversation; et ce que venoit de dire madame de
Clèves ne lui donnoit guère moins de jalousie qu'à son
mari. Il étoit si éperdument amoureux d'elle, qu'il croyoit
que tout le monde avoit les mêmes sentiments. Il étoit
véritable aussi qu'il avoit plusieurs rivaux; mais il
s'en imaginoit encore davantage, et son esprit s'égaroit
à chercher celui dont madame de Clèves vouloit parler.
Il avoit cru bien des fois qu'il ne lui étoit pas désagréable, et il avoit fait ce jugement sur des choses qui lui
parurent si légères dans ce moment, qu'il ne put s'imaginer qu'il eût donné une passion qui devoit être bien
violente pour avoir recours à un remède si extraordinaire. Il étoit si transporté qu'il ne savoit quasi ce qu'il
voyoit, et il ne pouvoit pardonner à monsieur de Clèves
de ne pas assez presser sa femme de lui dire ce nom
qu'elle lui cachoit.

Monsieur de Clèves faisoit néanmoins tous ses efforts
pour le savoir; et, après qu'il l'en eut pressée inutilement: Il me semble, répondit-elle, que vous devez être
content de ma sincérité; ne m'en demandez pas davantage, et ne me donnez point lieu de me repentir de ce
que je viens de faire: contentez-vous de l'assurance que
je vous donne encore, qu'aucune de mes actions n'a fait
paroître mes sentiments, et que l'on ne m'a jamais rien

dit dont j'aie pu m'offenser. Ah! madame, reprit tout
d'un coup monsieur de Clèves, je ne vous saurois croire.
Je me souviens de l'embarras où vous fûtes le jour que
votre portrait se perdit. Vous avez donné, madame, vous
avez donné ce portrait qui m'étoit si cher, et qui m'ap-
partenoit si légitimement; vous n'avez pu cacher vos
sentiments; vous aimez, on le sait; votre vertu vous a
jusqu'ici garantie du reste. Est-il possible, s'écria cette
princesse, que vous puissiez penser qu'il y ait quelque
déguisement dans un aveu comme le mien, qu'aucune
raison ne m'obligeoit à vous faire? Fiez-vous à mes
paroles; c'est par un assez grand prix que j'achète la
confiance que je vous demande. Croyez, je vous en conjure, que je n'ai point donné mon portrait: il est vrai
que je le vis prendre; mais je ne voulus pas faire
paroître que je le voyois, de peur de m'exposer à me
faire dire des choses que l'on ne m'a pas encore osé dire.
Par où vous a-t-on donc fait voir qu'on vous aimoit,
reprit monsieur de Clèves, et quelles marques de passion vous a-t-on données? Épargnez-moi la peine,
répliqua-t-elle, de vous redire des détails qui me font
honte à moi-même de les avoir remarqués, et qui ne m'ont
que trop persuadée de ma foiblesse. Vous avez raison,
madame, reprit-il; je suis injuste; refusez-moi toutes
les fois que je vous demanderai de pareilles choses;
mais ne vous offensez pourtant pas si je vous les
demande.

Dans ce moment, plusieurs de leurs gens qui étoient
demeurés dans les allées, vinrent avertir monsieur de
Clèves qu'un gentilhomme venoit le chercher de la part
du roi, pour lui ordonner de se trouver le soir à Paris.
Monsieur de Clèves fut contraint de s'en aller, et il ne
put rien dire à sa femme, sinon qu'il la supplioit de
venir le lendemain, et qu'il la conjuroit de croire que,

quoiqu'il fût affligé, il avoit pour elle une tendresse et une estime dont elle devoit être satisfaite.

Lorsque ce prince fut parti, que madame de Clèves demeura seule, qu'elle regarda ce qu'elle venoit de faire, elle en fut si épouvantée, qu'à peine put-elle s'imaginer que ce fût une vérité. Elle trouva qu'elle s'étoit ôté elle-même le cœur et l'estime de son mari, et qu'elle s'étoit creusé un abîme dont elle ne sortiroit jamais. Elle se demandoit pourquoi elle avoit fait une chose si hasardeuse, et elle trouvoit qu'elle s'y étoit engagée sans en avoir presque eu le dessein. La singularité d'un pareil aveu, dont elle ne trouvoit point d'exemple, lui en faisoit voir tout le péril.

Mais, quand elle venoit à penser que ce remède, quelque violent qu'il fût, étoit le seul qui la pouvoit défendre contre monsieur de Nemours, elle trouvoit qu'elle ne devoit point se repentir, et qu'elle n'avoit point trop hasardé. Elle passa toute la nuit pleine d'incertitude, de trouble et de crainte: mais enfin le calme revint dans son esprit. Elle trouva même de la douceur à avoir donné ce témoignage de fidélité à un mari qui le méritoit si bien, qui avoit tant d'estime et tant d'amitié pour elle, et qui venoit de lui en donner encore des marques, par la manière dont il avoit reçu ce qu'elle lui avoit avoué.

Cependant monsieur de Nemours étoit sorti du lieu où il avoit entendu une conversation qui le touchoit si sensiblement, et s'étoit enfoncé dans la forêt. Ce qu'avoit dit madame de Clèves de son portrait, lui avoit redonné la vie, en lui faisant connoître que c'étoit lui qu'elle ne haïssoit pas. Il s'abandonna d'abord à cette joie; mais elle ne fut pas longue, quand il fit réflexion que la même chose qui lui venoit d'apprendre qu'il avoit touché le cœur de madame de Clèves, le devoit persuader aussi qu'il n'en recevroit jamais nulle marque, et qu'il étoit impossible d'engager une personne qui avoit recours à un remède si extraordinaire. Il sentit pourtant un plaisir sensible de l'avoir réduite à cette extrémité. Il trouva de la gloire à s'être fait aimer d'une femme si différente de toutes celles de son sexe; enfin, il se trouva cent fois heureux et malheureux tout ensemble. La nuit le surprit dans la forêt, et il eut beaucoup de peine à retrouver le chemin de chez madame de Mercœur. Il y arriva à la pointe du jour; il fut assez embarrassé de rendre compte de ce qui l'avoit retenu; il s'en démêla le mieux qu'il lui fût possible, et revint, ce jour même, à Paris, avec le vidame.

Ce prince étoit si rempli de sa passion, et si surpris de ce qu'il avoit entendu, qu'il tomba dans une imprudence assez ordinaire, qui est de parler en termes généraux, de ses sentiments particuliers, et de conter ses propres aventures sous des noms empruntés. En revenant, il tourna la conversation sur l'amour; il exagéra le plaisir d'être amoureux d'une personne digne d'être aimée. Il parla des effets bizarres de cette passion; et enfin, ne pouvant renfermer en lui-même l'étonnement que lui donnoit l'action de madame de Clèves, il la conta au vidame, sans lui nommer la personne, et sans lui dire qu'il y eût aucune part; mais il la conta avec tant de chaleur et avec tant d'admiration, que le vidame soupçonna aisément que cette histoire regardoit ce prince. Il le pressa extrêmement de le lui avouer; il lui dit qu'il connoissoit depuis longtemps qu'il avoit quelque passion violente, et qu'il y avoit de l'injustice de se défier d'un homme qui lui avoit confié le secret de sa vie. Monsieur de Nemours étoit trop amoureux pour avouer son amour; il l'avoit toujours caché au vidame, quoique ce fût l'homme de la cour qu'il aimât le mieux. Il lui répondit qu'un de ses amis lui avoit conté cette aventure, et lui avoit fait promettre de n'en point parler, et qu'il le conjuroit aussi de garder ce secret.

Le vidame l'assura qu'il n'en parleroit point: néanmoins, monsieur de Nemours se repentit de lui en avoir tant appris.

Cependant, monsieur de Clèves étoit allé trouver le roi, le cœur pénétré d'une douleur mortelle. Jamais mari n'avoit eu une passion si violente pour sa femme, et ne l'avoit tant estimée. Ce qu'il venoit d'apprendre ne lui ôtoit pas l'estime; mais elle lui en donnoit d'une espèce différente de celle qu'il avoit eue jusqu'alors. Ce qui l'occupoit le plus, étoit l'envie de deviner celui qui avoit su lui plaire. Monsieur de Nemours lui vint d'abord dans l'esprit, comme ce qu'il y avoit de plus aimable à la cour; et le chevalier de Guise, et le maréchal de Saint-André, comme deux hommes qui avoient pensé à lui plaire, et qui lui rendoient encore beaucoup de soins; de sorte qu'il s'arrêta à croire qu'il falloit que ce fût l'un des trois. Il arriva au Louvre, et le roi le mena dans son cabinet, pour lui dire qu'il l'avoit choisi pour conduire Madame en Espagne; qu'il avoit cru que personne ne s'acquitteroit mieux que lui de cette commission, et que personne aussi ne feroit tant d'honneur à la France que madame de Clèves. Monsieur de Clèves reçut l'honneur de ce choix comme il le devoit, et le regarda même comme une chose qui éloigneroit sa femme de la cour, sans qu'il parût de changement dans sa conduite: néanmoins, le temps de ce départ étoit encore trop éloigné pour être un remède à l'embarras où il se trouvoit. Il écrivit à l'heure même à madame de Clèves, pour lui apprendre ce que le roi venoit de lui dire, et il lui manda encore qu'il vouloit absolument qu'elle revînt à Paris. Elle y revint comme il l'ordonnoit, et, lorsqu'ils se virent, ils se trouvèrent tous deux dans une tristesse extraordinaire.

Monsieur de Clèves lui parla comme le plus honnête homme du monde, et le plus digne de ce qu'elle avoit fait. Je n'ai nulle inquiétude de votre conduite, lui dit-il; vous avez plus de force et plus de vertu que vous ne pensez; ce n'est point aussi la crainte de l'avenir qui m'afflige, je ne suis affligé que de vous voir pour un autre des sentiments que je n'ai pu vous donner. Je ne sais que vous répondre, lui dit-elle; je meurs de honte en vous en parlant; épargnez-moi, je vous en conjure, de si cruelles conversations; réglez ma conduite; faites que je ne voie personne: c'est tout ce que je vous demande; mais trouvez bon que je ne vous parle plus d'une chose qui me fait paroître si peu digne de vous, et que je trouve si indigne de moi. Vous avez raison, madame, répliqua-t-il; j'abuse de votre douceur et de votre confiance; mais aussi ayez quelque compassion de l'état où vous m'avez mis, et songez que, quoi que vous m'ayez dit, vous me cachez un nom qui me donne une curiosité avec laquelle je ne saurois vivre. Je ne vous demande pourtant pas de la satisfaire; mais je ne puis m'empêcher de vous dire que je crois que celui que je dois envier est le maréchal de Saint-André, le duc de Nemours, ou le chevalier de Guise. Je ne vous répondrai rien, lui dit-elle en rougissant, et je ne vous donnerai aucun lieu, par mes réponses, de diminuer ni de fortifier vos soupçons; mais, si vous essayez de les éclaircir en m'observant, vous me donnerez un embarras qui paroîtra aux yeux de tout le monde. Au nom de Dieu, continua-t-elle, trouvez bon que, sur le prétexte de quelque maladie, je ne voie personne. Non, madame, répliqua-t-il; on démêleroit bientôt que ce seroit une chose supposée; et, de plus, je ne me veux fier qu'à vous-même; c'est le chemin que mon cœur me conseille de prendre, et la raison me le conseille aussi. De l'humeur dont vous êtes, en vous laissant votre liberté, je vous donne des bornes plus étroites que je ne pourrois vous en prescrire.

Monsieur de Clèves ne se trompoit pas; la confiance qu'il témoignoit à sa femme, la fortifioit davantage contre monsieur de Nemours, et lui faisoit prendre des résolutions plus austères, qu'aucune contrainte n'auroit pu faire. Elle alla donc au Louvre chez la reine dauphine à son ordinaire; mais elle évitoit la présence et les yeux de monsieur de Nemours avec tant de soin, qu'elle lui ôta quasi toute la joie qu'il avoit de se croire aimé d'elle. Il ne voyoit rien dans ses actions qui ne lui persuadât le contraire. Il ne savoit quasi si ce qu'il avoit entendu n'étoit point un songe, tant il y trouvoit peu de vraisemblance. La seule chose qui l'assuroit qu'il ne s'étoit pas trompé étoit l'extrême tristesse de madame de Clèves, quelque effort qu'elle fît pour la cacher: peut-être que des regards et des paroles obligeantes n'eussent pas tant augmenté l'amour de monsieur de Nemours que faisoit cette conduite austère.

Un soir que monsieur et madame de Clèves étoient chez la reine, quelqu'un dit que le bruit couroit que le roi nommeroit encore un grand seigneur de la cour, pour aller conduire Madame en Espagne. Monsieur de Clèves avoit les yeux sur sa femme, dans le temps qu'on ajouta que ce seroit peut-être le chevalier de Guise ou le maréchal de Saint-André. Il remarqua qu'elle n'avoit point été émue de ces deux noms, ni de la proposition qu'ils fissent ce voyage avec elle. Cela lui fit croire que pas un des deux n'étoit celui dont elle craignoit la présence; et, voulant s'éclaircir de ses soupçons, il entra dans le cabinet de la reine, où étoit le roi. Après y avoir demeuré quelque temps, il revint auprès de sa femme, et lui dit tout bas qu'il venoit d'apprendre que ce seroit monsieur de Nemours qui iroit avec eux en Espagne.

Le nom de monsieur de Nemours, et la pensée d'être exposée à le voir tous les jours pendant un long voyage, en présence de son mari, donna un tel trouble à madame de Clèves, qu'elle ne le put cacher; et voulant y donner d'autres raisons: C'est un choix bien désagréable pour vous, répondit-elle, que celui de ce prince. Il partagera tous les honneurs, et il me semble que vous devriez essayer de faire choisir quelque autre. Ce n'est pas la gloire, reprit monsieur de Clèves, qui vous fait appréhender que monsieur de Nemours ne vienne avec moi. Le chagrin que vous en avez, vient d'une autre cause. Ce chagrin m'apprend ce que j'aurois appris d'une autre femme, par la joie qu'elle en auroit eue. Mais ne craignez point; ce que je viens de vous dire n'est pas véritable, et je l'ai inventé pour m'assurer d'une chose que je ne croyois déjà que trop. Il sortit après ces paroles, ne voulant pas augmenter par sa présence l'extrême embarras où il voyoit sa femme.

Monsieur de Nemours entra dans cet instant, et remarqua d'abord l'état où étoit madame de Clèves. Il s'approcha d'elle, et lui dit tout bas qu'il n'osoit, par respect, lui demander ce qui la rendoit plus rêveuse que de coutume. La voix de monsieur de Nemours la fit revenir, et, le regardant sans avoir entendu ce qu'il venoit de lui dire, pleine de ses propres pensées et de la crainte que son mari ne le vît auprès d'elle: Au nom de Dieu, lui dit-elle, laissez-moi en repos. Hélas! madame, répondit-il, je ne vous y laisse que trop; de quoi pouvez-vous vous plaindre? Je n'ose vous parler, je n'ose même vous regarder: je ne vous approche qu'en tremblant. Par où me suis-je attiré ce que vous venez de me dire? et pourquoi me faites-vous paroître que j'ai quelque part au chagrin où je vous vois? Madame de Clèves fut bien fâchée d'avoir donné lieu à monsieur de Nemours de s'expliquer plus clairement qu'il n'avoit fait en toute sa vie. Elle le quitta sans lui répondre, et s'en revint chez elle, l'esprit plus agité qu'elle ne l'avoit jamais eu. Son mari s'aperçut aisément de l'aug-

mentation de son embarras. Il vit qu'elle craignoit qu'il
ne lui parlât de ce qui s'étoit passé. Il la suivit dans un
cabinet où elle étoit entrée. Ne m'évitez point, madame,
lui dit-il; je ne vous dirai rien qui puisse vous déplaire:
je vous demande pardon de la surprise que je vous ai
faite tantôt: j'en suis assez puni, par ce que j'ai appris.
Monsieur de Nemours étoit de tous les hommes celui
que je craignois le plus. Je vois le péril où vous êtes;
ayez du pouvoir sur vous, pour l'amour de vous-même,
et, s'il est possible, pour l'amour de moi. Je ne vous
le demande point comme un mari, mais comme un homme
dont vous faites tout le bonheur, et qui a pour vous
une passion plus tendre et plus violente que celui que
votre cœur lui préfère. Monsieur de Clèves s'attendrit
en prononçant ces dernières paroles, et eut peine à les
achever. Sa femme en fut pénétrée, et, fondant en
larmes, elle l'embrassa avec une tendresse et une douleur
qui le mit dans un état peu différent du sien. Ils demeurèrent quelque temps sans se rien dire, et se séparèrent sans avoir la force de se parler.

Les préparatifs pour le mariage de Madame étoient
achevés. Le duc d'Albe arriva pour l'épouser: il fut
reçu avec toute la magnificence et toutes les cérémonies qui se pouvoient faire dans une pareille occasion.
Le roi envoya au-devant de lui le prince de Condé,
les cardinaux de Lorraine et de Guise, les ducs de Lorraine, de Ferrare, d'Aumale, de Bouillon, de Guise et
de Nemours. Ils avoient plusieurs gentilshommes, et
grand nombre de pages vêtus de leurs livrées. Le roi
attendit lui-même le duc d'Albe à la première porte du
Louvre, avec les deux cents gentilshommes servants,
et le connétable à leur tête. Lorsque ce duc fut proche
du roi, il voulut lui embrasser les genoux; mais le roi
l'en empêcha, et le fit marcher à son côté jusque chez
la reine et chez Madame, à qui le duc d'Albe apporta

un présent magnifique de la part de son maître. Il alla
ensuite chez madame Marguerite, sœur du roi, lui faire
des compliments de monsieur de Savoie, et l'assurer
qu'il arriveroit dans peu de jours. L'on fit de grandes
assemblées au Louvre pour faire voir au duc d'Albe et
au prince d'Orange, qui l'avoit accompagné, les beautés
de la cour.

Madame de Clèves n'osa se dispenser de s'y trouver,
quelque envie qu'elle en eût, par la crainte de déplaire
à son mari, qui lui commanda absolument d'y aller.
Ce qui l'y déterminoit encore davantage étoit l'absence
de monsieur de Nemours. Il étoit allé au-devant de monsieur de Savoie; et, après que ce prince fut arrivé, il
fut obligé de se tenir presque toujours auprès de lui
pour lui aider à toutes les choses qui regardoient les
cérémonies de ses noces; cela fit que madame de Clèves
ne recontra pas ce prince aussi souvent qu'elle avoit
accoutumé; et elle s'en trouvoit dans quelque sorte de
repos.

Le vidame de Chartres n'avoit pas oublié la conversation qu'il avoit eue avec monsieur de Nemours. Il lui
étoit demeuré dans l'esprit que l'aventure que ce prince
lui avoit contée étoit la sienne propre, et il l'observoit
avec tant de soin, que peut-être auroit-il démêlé la
vérité, sans que l'arrivée du duc d'Albe et celle de monsieur de Savoie firent un changement et une occupation
dans la cour, qui l'empêcha de voir ce qui auroit pu
l'éclairer. L'envie de s'éclaircir, ou plutôt la disposition
naturelle que l'on a de conter tout ce que l'on sait à
ce que l'on aime, fit qu'il redit à madame de Martigues
l'action extraordinaire de cette personne qui avoit avoué
à son mari la passion qu'elle avoit pour un autre. Il
l'assura que monsieur de Nemours étoit celui qui avoit
inspiré cette violente passion, et il la conjura de lui
aider à observer ce prince. Madame de Martigues fut

bien aise d'apprendre ce que lui dit le vidame, et la curiosité qu'elle avoit toujours vue à madame la dauphine pour ce qui regardoit monsieur de Nemours lui donnoit encore plus d'envie de pénétrer cette aventure.

Peu de jours avant celui que l'on avoit choisi pour la cérémonie du mariage, la reine dauphine donnoit à souper au roi son beau-père et à la duchesse de Valentinois. Madame de Clèves, qui étoit occupée à s'habiller, alla au Louvre plus tard que de coutume. En y allant, elle trouva un gentilhomme qui la venoit quérir de la part de madame la dauphine: comme elle entra dans sa chambre, cette princesse lui cria de dessus son lit où elle étoit, qu'elle l'attendoit avec une grande impatience. Je crois, madame, lui répondit-elle, que je ne dois pas vous remercier de cette impatience, et qu'elle est sans doute causée par quelque autre chose, que par l'envie de me voir. Vous avez raison, répliqua la reine dauphine; mais néanmoins vous devez m'en être obligée; car je veux vous apprendre une aventure que je suis assurée que vous serez bien aise de savoir.

Madame de Clèves se mit à genoux devant son lit, et, par bonheur pour elle, elle n'avoit pas le jour au visage. Vous savez, lui dit cette reine, l'envie que nous avions de deviner ce qui causoit le changement qui paroît au duc de Nemours: je crois le savoir, et c'est une chose qui vous surprendra. Il est éperdument amoureux et fort aimé d'une des plus belles personnes de la cour. Ces paroles, que madame de Clèves ne pouvoit s'attribuer, puisqu'elle ne croyoit pas que personne sût qu'elle aimoit ce prince, lui causèrent une douleur qu'il est aisé de s'imaginer. Je ne vois rien en cela, répondit-elle, qui doive surprendre d'un homme le l'âge de monsieur de Nemours, et fait comme il est. Ce n'est pas aussi, reprit madame la dauphine, ce qui vous doit étonner; mais c'est de savoir que cette femme qui aime monsieur de Nemours, ne lui en a jamais donné aucune marque, et que la peur qu'elle a eue de n'être pas toujours maîtresse de sa passion, a fait qu'elle l'a avouée à son mari, afin qu'il l'ôtat de la cour. Et c'est monsieur de Nemours lui-même qui a conté ce que je vous dis.

Si madame de Clèves avoit eu d'abord de la douleur, par la pensée qu'elle n'avoit aucune part à cette aventure, les dernières paroles de madame la dauphine lui donnèrent du désespoir par la certitude de n'y en avoir que trop. Elle ne put répondre, et demeura la tête penchée sur le lit, pendant que la reine continuoit de parler, si occupée de ce qu'elle disoit, qu'elle ne prenoit pas garde à cet embarras. Lorsque madame de Clèves fut un peu remise: Cette histoire ne me paroît guère vraisemblable, madame, répondit-elle, et je voudrois bien savoir qui vous l'a contée. C'est madame de Martigues, répliqua madame la dauphine, qui l'a apprise du vidame de Chartres. Vous savez qu'il en est amoureux; il la lui a confiée comme un secret, et il la sait du duc de Nemours lui-même: il est vrai que le duc de Nemours ne lui a pas dit le nom de la dame, et ne lui a pas même avoué que ce fût lui qui en fût aimé; mais le vidame de Chartres n'en doute point.

Comme la reine dauphine achevoit ces paroles, quelqu'un s'approcha du lit. Madame de Clèves étoit tournée d'une sorte qui l'empêchoit de voir qui c'étoit; mais elle n'en douta pas, lorsque madame la dauphine se récria avec un air de gaieté et de surprise: Le voilà lui-même, et je veux lui demander ce qui en est. Madame de Clèves connut bien que c'étoit le duc de Nemours, —comme ce l'étoit en effet—sans se tourner de son côté. Elle s'avança avec précipitation vers madame la dauphine, et lui dit tout bas qu'il falloit bien se garder de lui parler de cette aventure; qu'il l'avoit confiée au vidame de Chartres, et que ce seroit une chose capable de les brouiller. Madame la dauphine lui répondit en riant qu'elle étoit trop prudente, et se retourna vers monsieur de Nemours. Il étoit paré pour l'assemblée du soir; et prenant la parole avec cette grâce qui lui étoit si naturelle: Je crois, madame, lui dit-il, que je puis penser, sans témérité, que vous parliez de moi quand je suis entré, que vous aviez dessein de me demander quelque chose, et que madame de Clèves s'y oppose. Il est vrai, répondit madame la dauphine; mais je n'aurai pas pour elle la complaisance que j'ai accoutumé d'avoir. Je veux savoir de vous si une histoire que l'on m'a contée est veritable, et si vous n'êtes pas celui qui êtes amoureux et aimé d'une femme de la cour qui vous cache sa passion avec soin, et qui l'a avouée à son mari.

Le trouble et l'embarras de madame de Clèves étoient au delà de tout ce qu'on peut s'imaginer, et, si la mort se fût présentée pour la tirer de cet état, elle l'auroit trouvée agréable; mais monsieur de Nemours étoit encore plus embarrassé, s'il est possible. Le discours de madame la dauphine, dont il avoit eu lieu de croire qu'il n'étoit pas haï, en présence de madame de Clèves, qui étoit la personne de la cour en qui elle avoit le plus de confiance, et qui en avoit aussi le plus en elle, lui donnoit une si grande confusion de pensées bizarres, qu'il lui fut impossible d'être maître de son visage. L'embarras où il voyoit madame de Clèves, par sa faute, et la pensée du juste sujet qu'il lui donnoit de le haïr, lui causa un saisissement qui ne lui permit pas de répondre. Madame la dauphine, voyant à quel point il étoit interdit: Regardez-le, regardez-le, dit-elle à madame de Clèves, et jugez si cette aventure n'est pas la sienne.

Cependant monsieur de Nemours, revenant de son premier trouble, et voyant l'importance de sortir d'un pas si dangereux, se rendit maître tout d'un coup de son esprit et de son visage. J'avoue, madame, dit-il, que l'on ne peut être plus surpris et plus affligé que je le suis de l'infidélité que m'a faite le vidame de Chartres, en racontant l'aventure d'un de mes amis que je lui avois confiée. Je pourrois m'en venger, continua-t-il en souriant avec un air tranquille, qui ôta quasi à madame la dauphine les soupçons qu'elle venoit d'avoir. Il m'a confié des choses qui ne sont pas d'une médiocre importance; mais je ne sais, madame, poursuivit-il, pourquoi vous me faites l'honneur de me mêler à cette aventure: le vidame ne peut pas dire qu'elle me regarde, puisque je lui ai dit le contraire. La qualité d'un homme amoureux me peut convenir; mais, pour celle d'un homme aimé, je ne crois pas, madame, que vous puissiez me la donner. Ce prince fut bien aise de dire quelque chose à madame la dauphine qui eût du rapport à ce qu'il lui avoit fait paroître en d'autres temps, afin de lui détourner l'esprit des pensées qu'elle avoit pu avoir. Elle crut bien aussi entendre ce qu'il disoit; mais, sans y répondre, elle continua à lui faire la guerre de son embarras. J'ai été troublé, madame, lui répondit-il, pour l'intérêt de mon ami, et par les justes reproches qu'il me pourroit faire, d'avoir redit une chose qui lui est plus chère que la vie. Il ne me l'a néanmoins confiée qu'à demi, et il ne m'a pas nommé la personne qu'il aime: je sais seulement qu'il est l'homme du monde le plus amoureux et le plus à plaindre. Le trouvez-vous si à plaindre, répliqua madame la dauphine, puisqu'il est aimé? Croyez-vous qu'il le soit, madame, reprit-il, et qu'une personne qui auroit une véritable passion pût la découvrir à son mari? Cette personne ne connoît pas sans doute l'amour, et elle a prise pour lui une légère reconnoissance de l'attachement que l'on a pour elle. Mon ami ne peut se flatter d'aucune espérance; mais, tout malheureux qu'il est, se trouve heureux d'avoir du moins donné la peur de l'aimer, et il ne changeroit pas son état contre celui du plus heureux amant du monde. Votre ami a une passion bien aisée à satisfaire, dit madame la dauphine, et je commence à croire que ce n'est pas de vous dont vous parlez. Il ne s'en faut guère, continua-t-elle, que je ne sois de l'avis de madame de Clèves, qui soutient que cette aventure ne peut être véritable. Je ne crois pas, en effet, qu'elle le puisse être, reprit madame de Clèves, qui n'avoit point encore parlé; et, quand il seroit possible qu'elle le fût, par où l'auroit-on pu savoir? Il n'y a pas d'apparence qu'une femme, capable d'une chose si extraordinaire, eût la foiblesse de la raconter; apparemment son mari ne l'auroit pas racontée non plus, ou ce seroit un mari bien indigne du procédé que l'on auroit eu avec lui. Monsieur de Nemours, qui vit les soupçons de madame de Clèves sur son mari, fut bien aise de les lui confirmer; il savoit que c'étoit le plus redoutable rival qu'il eût à détruire. La jalousie, répondit-il, et la curiosité d'en savoir peut-être davantage qu'on ne lui en a dit, peuvent faire faire bien des imprudences à un mari.

Madame de Clèves étoit à la dernière épreuve de sa force et de son courage, et, ne pouvant plus soutenir la conversation, elle alloit dire qu'elle se trouvoit mal, lorsque, par bonheur pour elle, la duchesse de Valentinois entra, qui dit à madame la dauphine que le roi alloit arriver. Cette reine passa dans son cabinet pour s'habiller. Monsieur de Nemours s'approcha de madame de Clèves, comme elle la vouloit suivre. Je donnerois ma vie, madame, lui dit-il, pour vous parler un moment; mais de tout ce que j'aurois d'important à vous dire, rien ne me le paroît davantage que de vous supplier de croire que, si j'ai dit quelque chose où madame la dauphine puisse prendre part, je l'ai fait par des raisons qui ne la regardent pas. Madame de Clèves ne fit pas

semblant d'entendre monsieur de Nemours; elle le quitta
sans le regarder et se mit à suivre le roi qui venoit
d'entrer. Comme il y avoit beaucoup de monde, elle s'embarrassa dans sa robe, et fit un faux pas: elle se servit
de ce prétexte pour sortir d'un lieu où elle n'avoit pas
la force de demeurer; et, feignant de ne se pouvoir soutenir, elle s'en alla chez elle.

Monsieur de Clèves vint au Louvre, et fut étonné de
n'y pas trouver sa femme: on lui dit l'accident qui lui
étoit arrivé. Il s'en retourna à l'heure même pour apprendre de ses nouvelles; il la trouva au lit, et il sut
que son mal n'étoit pas considérable. Quand il eut été
quelque temps auprès d'elle, il s'aperçut qu'elle étoit
dans une tristesse si excessive, qu'il en fut surpris.
Qu'avez-vous, madame? lui dit-il. Il me paroît que vous
avez quelque autre douleur que celle dont vous vous
plaignez? J'ai la plus sensible affliction que je pouvois
jamais avoir, répondit-elle: quel usage avez-vous fait
de la confiance extraordinaire, ou, pour mieux dire, folle
que j'ai eue en vous? Ne méritois-je pas le secret? et,
quand je ne l'aurois pas mérité, votre propre intérêt
ne vous y engageoit-il pas? Falloit-il que la curiosité
de savoir un nom que je ne dois pas vous dire vous
obligeât à vous confier à quelqu'un pour tâcher de le
découvrir? Ce ne peut être que cette seule curiosité
qui vous ait fait faire une si cruelle imprudence; les
suites en sont aussi fâcheuses qu'elles pouvoient l'être.
Cette aventure est sue, et on me la vient de conter, ne
sachant pas que j'y eusse le principal intérêt. Que me
dites-vous, madame? lui répondit-il. Vous m'accusez
d'avoir conté ce qui s'est passé entre vous et moi, et
vous m'apprenez que la chose est sue? Je ne me justifie
pas de l'avoir redite; vous ne le sauriez croire, et il
faut, sans doute, que vous ayez pris pour vous ce que
l'on vous a dit de quelque autre. Ah! monsieur, reprit-

elle, il n'y a pas dans le monde une autre aventure
pareille à la mienne; il n'y a point une autre femme
capable de la même chose. Le hasard ne peut l'avoir
fait inventer; on ne l'a jamais imaginée, et cette pensée
n'est jamais tombée dans un autre esprit que le mien.
Madame la dauphine vient de me conter toute cette aventure; elle l'a sue par le vidame de Chartres, qui la sait de
monsieur de Nemours. Monsieur de Nemours! s'écria
monsieur de Clèves, avec une action qui marquoit du
transport et du désespoir: Quoi! Monsieur de Nemours
sait que vous l'aimez, et que je le sais! Vous voulez toujours choisir monsieur de Nemours plutôt qu'un autre,
répliqua-t-elle: je vous ai dit que je ne vous répondrois
jamais sur vos soupçons. J'ignore si monsieur de Nemours sait la part que j'ai dans cette aventure, et celle
que vous lui avez donnée; mais il l'a contée au vidame de
Chartres, et lui a dit qu'il la savoit d'un de ses amis,
qui ne lui avoit pas nommé la personne. Il faut que
cet ami de monsieur de Nemours soit des vôtres, et
que vous vous soyez fié à lui pour tâcher de vous éclaircir.
A-t-on un ami au monde à qui on voulût faire une telle
confidence, reprit monsieur de Clèves, et voudroit-on
éclaircir ses soupçons, au prix d'apprendre à quelqu'un
ce que l'on souhaiteroit de se cacher à soi-même? Songez
plutôt, madame, à qui vous avez parlé. Il est plus
vraisemblable que ce soit par vous que par moi que ce
secret soit échappé. Vous n'avez pu soutenir toute seule
l'embarras où vous vous êtes trouvée, et vous avez
cherché le soulagement de vous plaindre avec quelque
confidente qui vous a trahie. N'achevez point de m'accabler, s'écria-t-elle, et n'ayez point la dureté de m'accuser d'une faute que vous avez faite. Pouvez-vous m'en
soupçonner, et, puisque j'ai été capable de vous parler,
suis-je capable de parler à quelque autre?

L'aveu que madame de Clèves avoit fait à son mari

étoit une si grande marque de sa sincérité, et elle nioit
si fortement de s'être confiée à personne, que monsieur
de Clèves ne savoit que penser : d'un autre côté, il étoit
assuré de n'avoir rien redit ; c'étoit une chose que l'on
ne pouvoit avoir devinée ; elle étoit sue : ainsi il falloit
que ce fût par l'un des deux ; mais ce qui lui causoit
une douleur violente étoit de savoir que ce secret étoit
entre les mains de quelqu'un, et qu'apparemment il seroit
bientôt divulgué.

Madame de Clèves pensoit à peu près les mêmes
choses ; elle trouvoit également impossible que son mari
eût parlé, et qu'il n'eût pas parlé ; ce qu'avoit dit monsieur de Nemours, que la curiosité pouvoit faire faire
des imprudences à un mari, lui paroissoit se rapporter
si juste à l'état de monsieur de Clèves, qu'elle ne pouvoit croire que ce fût une chose que le hasard eût fait
dire ; et cette vraisemblance la déterminoit à croire que
monsieur de Clèves avoit abusé de la confiance qu'elle
avoit en lui. Ils étoient si occupés l'un et l'autre de leurs
pensées, qu'ils furent longtemps sans parler, et ils ne
sortirent de ce silence que pour redire les mêmes choses
qu'ils avoient déjà dites plusieurs fois, et demeurèrent
le cœur et l'esprit plus éloigné et plus altéré qu'ils ne
l'avoient encore eu.

Il est aisé de s'imaginer en quel état ils passèrent la
nuit. Monsieur de Clèves avoit épuisé toute sa constance
à soutenir le malheur de voir une femme qu'il adoroit
touchée de passion pour un autre. Il ne lui restoit plus
de courage ; il croyoit même n'en devoir pas trouver
dans une chose où sa gloire et son honneur étoient si
vivement blessés. Il ne savoit plus que penser de sa
femme ; il ne voyoit plus quelle conduite il lui devoit
faire prendre, ni comment il se devoit conduire lui-
même, et il ne trouvoit, de tous côtés, que des précipices
et des abîmes. Enfin, après une agitation et une incerti-

tude très longues, voyant qu'il devoit bientôt s'en aller
en Espagne, il prit le parti de ne rien faire qui pût
augmenter les soupçons ou la connoissance de son malheureux état. Il alla trouver madame de Clèves, et lui
dit qu'il ne s'agissoit pas de démêler entre eux qui avoit
manqué au secret; mais qu'il s'agissoit de faire voir que
l'histoire que l'on avoit contée étoit une fable où elle
n'avoit aucune part, qu'il dépendoit d'elle de le persuader à monsieur de Nemours et aux autres; qu'elle
n'avoit qu'à agir avec lui avec la sévérité et la froideur
qu'elle devoit avoir pour un homme qui lui témoignoit
de l'amour; que, par ce procédé, elle lui ôteroit aisément l'opinion qu'elle eût de l'inclination pour lui;
qu'ainsi, il ne falloit point s'affliger de tout ce qu'il
auroit pu penser, parce que, si, dans la suite, elle ne
faisoit paroître aucune foiblesse, toutes ses pensées se
détruiroient aisément, et que, surtout, il falloit qu'elle
allât au Louvre et aux assemblées comme à l'ordinaire.

Après ces paroles, monsieur de Clèves quitta sa femme
sans attendre sa réponse. Elle trouva beaucoup de raison
dans tout ce qu'il lui dit, et la colère où elle étoit contre
monsieur de Nemours lui fit croire qu'elle trouveroit
aussi beaucoup de facilité à l'exécuter; mais il lui parut
difficile de se trouver à toutes les cérémonies du mariage,
et d'y paroître avec un visage tranquille et un esprit
libre: néanmoins comme elle devoit porter la robe de
madame la dauphine, et que c'étoit une chose où elle
avoit été préférée à plusieurs autres princesses, il n'y
avoit pas moyen d'y renoncer, sans faire beaucoup de
bruit et sans en faire chercher les raisons. Elle se
résolut donc de faire un effort sur elle-même; mais elle
prit le reste du jour pour s'y préparer, et pour s'abandonner à tous les sentiments dont elle étoit agitée. Elle
s'enferma seule dans son cabinet: de tous ses maux,
celui qui se présentoit à elle avec le plus de violence

étoit d'avoir sujet de se plaindre de monsieur de Nemours, et de ne trouver aucun moyen de le justifier.
Elle ne pouvoit douter qu'il n'eût conté cette aventure
au vidame de Chartres; il l'avoit avoué, et elle ne pouvoit douter aussi, par la manière dont il avoit parlé,
qu'il ne sût que l'aventure la regardoit. Comment excuser une si grande imprudence, et qu'étoit devenue
l'extrême discrétion de ce prince, dont elle avoit été
si touchée? Il a été discret, disoit-elle, tant qu'il a cru
être malheureux; mais une pensée d'un bonheur, même
incertain, a fini sa discrétion. Il n'a pu s'imaginer qu'il
étoit aimé, sans vouloir qu'on le sût. Il a dit tout ce
qu'il pouvoit dire: je n'ai pas avoué que c'étoit lui que
j'aimois; il l'a soupçonné, et il a laissé voir ses soupçons. S'il eût eu des certitudes, il en auroit usé de la
même sorte. J'ai eu tort de croire qu'il y eût un homme
capable de cacher ce qui flatte sa gloire. C'est pourtant
pour cet homme, que j'ai cru si différent du reste des
hommes, que je me trouve comme les autres femmes,
étant si éloignée de leur ressembler. J'ai perdu le cœur
et l'estime d'un mari qui devoit faire ma félicité. Je
serai bientôt regardée de tout le monde comme une personne qui a une folle et violente passion. Celui pour qui
je l'ai ne l'ignore plus; et c'est pour éviter ces malheurs
que j'ai hasardé tout mon repos et même ma vie! Ces
tristes réflexions étoient suivies d'un torrent de larmes;
mais quelque douleur dont elle se trouvât accablée, elle
sentoit bien qu'elle auroit eu la force de les supporter,
si elle avoit été satisfaite de monsieur de Nemours.

Ce prince n'étoit pas dans un état plus tranquille.
L'imprudence qu'il avoit faite d'avoir parlé au vidame
de Chartres, et les cruelles suites de cette imprudence
lui donnoient un déplaisir mortel. Il ne pouvoit se représenter, sans être accablé, l'embarras, le trouble et l'affliction où il avoit vu madame de Clèves. Il étoit incon-

solable de lui avoir dit des choses sur cette aventure,
qui, bien que galantes par elles-mêmes, lui paroissoient,
dans ce moment, grossières et peu polies, puisqu'elles
avoient fait entendre à madame de Clèves qu'il n'igno-
roit pas qu'elle étoit cette femme qui avoit une passion
violente, et qu'il étoit celui pour qui elle l'avoit. Tout
ce qu'il eût pu souhaiter, eût été une conversation avec
elle ; mais il trouvoit qu'il la devoit craindre plutôt que
de la désirer. Qu'aurois-je à lui dire ? s'écrioit-il. Irois-je
encore lui montrer ce que je ne lui ai déjà que trop fait
connoître ? Lui ferai-je voir que je sais qu'elle m'aime,
moi qui n'ai jamais seulement osé lui dire que je l'aimois ?
Commencerai-je à lui parler ouvertement de ma passion,
afin de lui paroître un homme devenu hardi par des
espérances ? Puis-je penser seulement à l'approcher, et
oserois-je lui donner l'embarras de soutenir ma vue ?
Par où pourrois-je me justifier ? Je n'ai point d'excuse ;
je suis indigne d'être regardé de madame de Clèves,
et je n'espère pas aussi qu'elle me regarde jamais. Je
lui ai donné, par ma faute, de meilleurs moyens pour
se défendre contre moi que tous ceux qu'elle cherchoit,
et qu'elle eût peut-être cherchés inutilement. Je perds,
par mon imprudence, le bonheur et la gloire d'être aimé
de la plus aimable et de la plus estimable personne du
monde ; mais, si j'avois perdu ce bonheur, sans qu'elle
en eût souffert, et sans lui avoir donné une douleur
mortelle, ce me seroit une consolation ; et je sens plus
dans ce moment le mal que je lui ai fait que celui que
je me suis fait auprès d'elle.

Monsieur de Nemours fut longtemps à s'affliger et à
penser les mêmes choses. L'envie de parler à madame
de Clèves lui venoit toujours dans l'esprit. Il songea à
en trouver les moyens ; il pensa à lui écrire ; mais enfin,
il trouva qu'après la faute qu'il avoit faite, et de l'humeur dont elle étoit, le mieux qu'il pût faire étoit de

lui témoigner un profond respect par son affliction et par son silence, de lui faire voir même qu'il n'osoit se présenter devant elle, et d'attendre ce que le temps, le hasard et l'inclination qu'elle avoit pour lui, pourroient faire en sa faveur. Il résolut aussi de ne point faire de reproches au vidame de Chartres de l'infidélité qu'il lui avoit faite, de peur de fortifier ses soupçons.

Les fiançailles de Madame, qui se faisoient le lendemain, et le mariage qui se faisoit le jour suivant, occupoient tellement toute la cour, que madame de Clèves et monsieur de Nemours cachèrent aisément au public leur tristesse et leur trouble. Madame la dauphine ne parla même qu'en passant à madame de Clèves, de la conversation qu'elles avoient eue avec monsieur de Nemours, et monsieur de Clèves affecta de ne plus parler à sa femme de tout ce qui s'étoit passé: de sorte qu'elle ne se trouva pas dans un aussi grand embarras qu'elle l'avoit imaginé.

Les fiançailles se firent au Louvre, et, après le festin et le bal, toute la maison royale alla coucher à l'Évêché, comme c'étoit la coutume. Le matin, le duc d'Albe, qui n'étoit jamais vêtu que fort simplement, mit un habit de drap d'or, mêlé de couleur de feu, de jaune et de noir, tout couvert de pierreries, et il avoit une couronne fermée sur la tête. Le prince d'Orange, habillé aussi magnifiquement, avec ses livrées et tous les Espagnols suivis des leurs, vinrent prendre le duc d'Albe à l'hôtel de Villeroi, où il étoit logé, et partirent, marchant quatre à quatre, pour venir à l'Évêché. Sitôt qu'il fut arrivé, on alla par ordre à l'église: le roi menoit Madame, qui avoit aussi une couronne fermée, et sa robe portée par mesdemoiselles de Montpensier et de Longueville; la reine marchoit ensuite, mais sans couronne. Après elle, venoit la reine dauphine, Madame, sœur du roi, madame de Lorraine, et la reine de Navarre, leurs robes portées par des

princesses. Les reines et les princesses avoient toutes
leurs filles magnifiquement habillées des mêmes couleurs
qu'elles étoient vêtues; en sorte que l'on connoissoit à
qui étoient les filles par la couleur de leurs habits. On
monta sur l'échafaud qui étoit préparé dans l'église, et
l'on fit la cérémonie des mariages. On retourna ensuite
dîner à l'Évêché; et, sur les cinq heures, on en partit
pour aller au Palais, où se faisoit le festin, et où le
Parlement, les cours souveraines et la Maison de ville
étoient priés d'assister. Le roi, les reines, les princes
et princesses mangèrent sur la table de marbre dans
la grande salle du Palais, le duc d'Albe assis auprès de
la nouvelle reine d'Espagne. Au-dessous des degrés
de la table de marbre, et à la main droite du roi, étoit
une table pour les ambassadeurs, les archevêques et les
chevaliers de l'ordre; et, de l'autre côté, une table pour
messieurs du Parlement.

Le duc de Guise, vêtu d'une robe de drap d'orfrisé,
servoit le roi de grand maître; monsieur le prince de
Condé, de panetier; et le duc de Nemours, d'échanson.
Après que les tables furent levées, le bal commença;
il fut interrompu par des ballets et des machines extraordinaires: on le reprit ensuite; et enfin, après minuit,
le roi et toute la cour s'en retourna au Louvre. Quelque
triste que fût madame de Clèves, elle ne laissa pas de
paroître aux yeux de tout le monde, et surtout aux
yeux de monsieur de Nemours, d'une beauté incomparable. Il n'osa lui parler, quoique l'embarras de cette
cérémonie lui en donnât plusieurs moyens; mais il lui
fit voir tant de tristesse et une crainte si respectueuse
de l'approcher, qu'elle ne le trouva plus si coupable,
quoiqu'il ne lui eût rien dit pour se justifier. Il eut la
même conduite les jours suivants, et cette conduite fit
aussi le même effet sur le cœur de madame de Clèves.

Enfin, le jour du tournoi arriva. Les reines se rendirent dans les galeries et sur les échafauds qui leur avoient été destinés. Les quatre tenants parurent au bout de la lice, avec une quantité de chevaux et de livrées, qui faisoient le plus magnifique spectacle qui eût jamais paru en France.

Le roi n'avoit point d'autres couleurs que le blanc et le noir, qu'il portoit toujours à cause de madame de Valentinois qui étoit veuve. Monsieur de Ferrare et toute sa suite avoient du jaune et du rouge; monsieur de Guise parut avec de l'incarnat et du blanc: on ne savoit d'abord par quelle raison il avoit ces couleurs; mais on se souvint que c'étoient celles d'une belle personne qu'il avoit aimée pendant qu'elle étoit fille et qu'il aimoit encore, quoiqu'il n'osât plus le lui faire paroître; monsieur de Nemours avoit du jaune et du noir; on en chercha inutilement la raison. Madame de Clèves n'eut pas de peine à la deviner: elle se souvint d'avoir dit devant lui qu'elle aimoit le jaune, et qu'elle étoit fâchée d'être blonde, parce qu'elle n'en pouvoit mettre. Ce prince crut pouvoir paroître avec cette couleur, sans indiscrétion, puisque, madame de Clèves n'en mettant point, on ne pouvoit soupçonner que ce fût la sienne.

Jamais on n'a fait voir tant d'adresse que les quatre tenants en firent paroître. Quoique le roi fût le meilleur homme de cheval de son royaume, on ne savoit à qui donner l'avantage. Monsieur de Nemours avoit un agrément dans toutes ses actions, qui pouvoit faire pencher en sa faveur des personnes moins intéressées que madame de Clèves. Sitôt qu'elle le vit paroître au bout de la lice, elle sentit une émotion extraordinaire; et, à toutes les courses de ce prince, elle avoit de la peine à cacher sa joie, lorsqu'il avoit heureusement fourni sa carrière.

Sur le soir, comme tout étoit presque fini, et que l'on étoit près de se retirer, le malheur de l'État fit que le roi voulut encore rompre une lance. Il manda au comte

de Montgomery, qui étoit extrêmement adroit, qu'il se
mit sur la lice. Le comte supplia le roi de l'en dispenser,
et allégua toutes les excuses dont il put s'aviser; mais
le roi, quasi en colère, lui fit dire qu'il le vouloit absolument. La reine manda au roi qu'elle le conjuroit de ne
plus courir; qu'il avoit si bien fait, qu'il devoit être
content, et qu'elle le supplioit de revenir auprès d'elle.
Il répondit que c'étoit pour l'amour d'elle qu'il alloit
courir encore, et entra dans la barrière. Elle lui renvoya
monsieur de Savoie, pour le prier une seconde fois de
revenir; mais tout fut inutile. Il courut; les lances se
brisèrent, et un éclat de celle du comte de Montgomery
lui donna dans l'œil et y demeura. Ce prince tomba
du coup. Ses écuyers et monsieur de Montmorency, qui
étoit un des maréchaux du camp, coururent à lui. Ils
furent étonnés de le voir si blessé; mais le roi ne s'étonna
point. Il dit que c'étoit peu de chose, et qu'il pardonnoit
au comte de Montgomery. On peut juger quel trouble
et quelle affliction apporta un accident si funeste dans
une journée destinée à la joie. Sitôt que l'on eut porté
le roi dans son lit, et que les chirurgiens eurent visité
sa plaie, ils la trouvèrent très considérable. Monsieur
le connétable se souvint, dans ce moment, de la prédiction que l'on avoit faite au roi, qu'il seroit tué dans
un combat singulier; et il ne douta point que la prédiction ne fût accomplie.

Le roi d'Espagne, qui étoit alors à Bruxelles, étant
averti de cet accident, envoya son médecin, qui étoit un
homme d'une grande réputation; mais il jugea le roi
sans espérance.

Une cour aussi partagée et aussi remplie d'intérêts
opposés, n'étoit pas dans une médiocre agitation, à la
veille d'un si grand événement; néanmoins, tous les
mouvements étoient cachés, et l'on ne paroissoit occupé
que de l'unique inquiétude de la santé du roi. Les reines,

les princes et les princesses ne sortoient presque point de son antichambre.

Madame de Clèves, sachant qu'elle étoit obligée d'y être, qu'elle y verroit monsieur de Nemours, qu'elle ne pourroit cacher à son mari l'embarras que lui causoit cette vue, connoissant aussi que la seule présence de ce prince le justifioit à ses yeux, et détruisoit toutes ses résolutions, prit le parti de feindre d'être malade. La cour étoit trop occupée pour avoir de l'attention à sa conduite, et pour démêler si son mal étoit faux ou véritable. Son mari seul pouvoit en connoître la vérité; mais elle n'étoit pas fâchée qu'il la connût: ainsi elle demeura chez elle peu occupée du grand changement qui se préparoit; et, remplie de ses propres pensées, elle avoit toute la liberté de s'y abandonner. Tout le monde étoit chez le roi. Monsieur de Clèves venoit à de certaines heures lui en dire des nouvelles. Il conservoit avec elle le même procédé qu'il avoit toujours eu, hors que, quand ils étoient seuls, il y avoit quelque chose d'un peu plus froid et de moins libre. Il ne lui avoit point reparlé de tout ce qui s'étoit passé; et elle n'avoit pas eu la force, et n'avoit pas même jugé à propos de reprendre cette conversation.

Monsieur de Nemours, qui s'étoit attendu à trouver quelques moments à parler à madame de Clèves, fut bien surpris et bien affligé de n'avoir pas seulement le plaisir de la voir. Le mal du roi se trouva si considérable, que le septième jour il fut désespéré des médecins. Il reçut la certitude de sa mort avec une fermeté extraordinaire, et d'autant plus admirable, qu'il perdoit la vie par un accident si malheureux, qu'il mouroit à la fleur de son âge, heureux, adoré de ses peuples, et aimé d'une maîtresse qu'il aimoit éperdument. La veille de sa mort, il fit faire le mariage de Madame, sa sœur, avec monsieur de Savoie, sans cérémonie. L'on peut juger en quel

état étoit la duchesse de Valentinois. La reine ne permit
point qu'elle vît le roi, et lui envoya demander les
cachets de ce prince et les pierreries de la couronne
qu'elle avoit en garde. Cette duchesse s'enquit si le roi
étoit mort; et, comme on lui eût répondu que non: Je
n'ai donc point encore de maître, répondit-elle, et personne ne peut m'obliger à rendre ce que sa confiance
m'a mis entre les mains. Sitôt qu'il fut expiré au château
des Tournelles, le duc de Ferrare, le duc de Guise et
le duc de Nemours conduisirent au Louvre la reine mère,
le roi et la reine sa femme. Monsieur de Nemours
menoit la reine mère. Comme ils commençoient à marcher,
elle se recula de quelques pas, et dit à la reine, sa
belle-fille, que c'étoit à elle à passer la première; mais
il fut aisé de voir qu'il y avoit plus d'aigreur que de
bienséance dans ce compliment.

QUATRIÈME PARTIE

Le cardinal de Lorraine s'étoit rendu maître absolu de l'esprit de la reine mère; le vidame de Chartres n'avoit plus aucune part dans ses bonnes grâces, et l'amour qu'il avoit pour madame de Martigues et pour la liberté l'avoit même empêché de sentir cette perte autant qu'elle méritoit d'être sentie. Ce cardinal, pendant les dix jours de la maladie du roi, avoit eu le loisir de former ses desseins, et de faire prendre à la reine des résolutions conformes à ce qu'il avoit projeté; de sorte que, sitôt que le roi fut mort, la reine ordonna au connétable de demeurer aux Tournelles, auprès du corps du feu roi, pour faire les cérémonies ordinaires. Cette commission l'éloignoit de tout, et lui ôtoit la liberté d'agir. Il envoya un courrier au roi de Navarre pour le faire venir en diligence, afin de s'opposer ensemble à la grande élévation où il voyoit que messieurs de Guise alloient parvenir. On donna le commandement des armées au duc de Guise, et les finances au cardinal de Lorraine. La duchesse de Valentinois fut chassée de la cour; on fit revenir le cardinal de Tournon, ennemi déclaré du connétable, et le chancelier Olivier, ennemi déclaré de la duchesse de Valentinois: enfin, la cour changea entièrement de face. Le duc de Guise prit le même rang que les princes du sang à porter le manteau du roi aux cérémonies des funérailles: lui et ses frères furent entièrement les maîtres, non seulement par le crédit du cardinal sur l'esprit de la reine, mais parce que cette princesse crut qu'elle pourroit les éloigner, s'ils lui don-

noient de l'ombrage, et qu'elle ne pourroit éloigner le
connétable, qui étoit appuyé des princes du sang.

Lorsque les cérémonies du deuil furent achevées, le
connétable vint au Louvre, et fut reçu du roi avec beaucoup de froideur. Il voulut lui parler en particulier;
mais le roi appela messieurs de Guise, et lui dit, devant
eux, qu'il lui conseilloit de se reposer; que les finances
et le commandement des armées étoient donnés; et que,
lorsqu'il auroit besoin de ses conseils, il l'appelleroit
auprès de sa personne. Il fut reçu de la reine mère
encore plus froidement que du roi, et elle lui fit même
des reproches de ce qu'il avoit dit au feu roi que ses
enfants ne lui ressembloient point. Le roi de Navarre
arriva, et ne fut pas mieux reçu. Le prince de Condé,
moins endurant que son frère, se plaignit hautement:
ses plaintes furent inutiles; on l'éloigna de la cour, sous
le prétexte de l'envoyer en Flandre signer la ratification
de la paix. On fit voir au roi de Navarre une fausse
lettre du roi d'Espagne, qui l'accusoit de faire des entreprises sur ses places; on lui fit craindre pour ses terres;
enfin, on lui inspira le dessein de s'en aller en Béarn.
La reine lui en fournit un moyen, en lui donnant la
conduite de madame Élisabeth, et l'obligea même à partir
devant cette princesse; et ainsi il ne demeura personne
à la cour qui pût balancer le pouvoir de la maison de
Guise.

Quoique ce fût une chose fâcheuse pour monsieur de
Clèves de ne pas conduire madame Élisabeth, néanmoins il ne put s'en plaindre par la grandeur de celui
qu'on lui préféroit; mais il regrettoit moins cet emploi
par l'honneur qu'il en eût reçu, que parce que c'étoit une
chose qui éloignoit sa femme de la cour, sans qu'il parût
qu'il eût dessein de l'en éloigner.

Peu de jours après la mort du roi, on résolut d'aller
à Reims pour le sacre. Sitôt qu'on parla de ce voyage,

madame de Clèves, qui avoit toujours demeuré chez
elle, feignant d'être malade, pria son mari de trouver
bon qu'elle ne suivît point la cour, et qu'elle s'en allât
à Coulommiers prendre l'air et songer à sa santé. Il lui
répondit qu'il ne vouloit point pénétrer si c'étoit la raison
de sa santé qui l'obligeoit à ne pas faire le voyage; mais
qu'il consentoit qu'elle ne le fît point. Il n'eut pas de
peine à consentir à une chose qu'il avoit déjà résolue:
quelque bonne opinion qu'il eût de la vertu de sa femme,
il voyoit bien que la prudence ne vouloit pas qu'il l'ex-
posât plus longtemps à la vue d'un homme qu'elle
aimoit.

Monsieur de Nemours sut bientôt que madame de
Clèves ne devoit pas suivre la cour; il ne put se résoudre à partir sans la voir, et, la veille du départ, il alla
chez elle aussi tard que la bienséance le pouvoit per-
mettre, afin de la trouver seule. La fortune favorisa son
intention. Comme il entra dans la cour, il trouva madame
de Nevers et madame de Martigues qui en sortoient, et
qui lui dirent qu'elles l'avoient laissée seule. Il monta
avec une agitation et un trouble qui ne se peut com-
parer qu'à celui qu'eut madame de Clèves quand on lui
dit que monsieur de Nemours venoit pour la voir. La
crainte qu'elle eut qu'il ne lui parlât de sa passion,
l'appréhension de lui répondre trop favorablement, l'inquiétude que cette visite pouvoit donner à son mari, la
peine de lui en rendre compte ou de lui cacher toutes
ces choses, se présentèrent en un moment à son esprit,
et lui firent un si grand embarras, qu'elle prit la résolution d'éviter la chose du monde qu'elle souhaitoit peut-
être le plus. Elle envoya une de ses femmes à monsieur
de Nemours, qui étoit dans son antichambre, pour lui
dire qu'elle venoit de se trouver mal, et qu'elle étoit bien
fâchée de ne pouvoir recevoir l'honneur qu'il lui vouloit
faire. Quelle douleur pour ce prince de ne pas voir

madame de Clèves, et de ne la pas voir, parce qu'elle ne
vouloit pas qu'il la vît! Il s'en alloit le lendemain; il
n'avoit plus rien à espérer du hasard; il ne lui avoit
rien dit depuis cette conversation de chez madame la
dauphine, et il avoit lieu de croire que la faute d'avoir
parlé au vidame avoit détruit toutes ses espérances;
enfin, il s'en alloit avec tout ce qui peut aigrir une vive
douleur.

Sitôt que madame de Clèves fut un peu remise du
trouble que lui avoit donné la pensée de la visite de ce
prince, toutes les raisons qui la lui avoient fait refuser
disparurent; elle trouva même qu'elle avoit fait une
faute; et, si elle eût osé, ou qu'il eût encore été assez
à temps, elle l'auroit fait rappeler.

Mesdames de Nevers et de Martigues, en sortant de
chez elle, allèrent chez la reine dauphine. Monsieur de
Clèves y étoit. Cette princesse leur demanda d'où elles
venoient; elles lui dirent qu'elles venoient de chez Monsieur de Clèves, où elles avoient passé une partie de
l'après-dînée avec beaucoup de monde, et qu'elles n'y
avoient laissé que monsieur de Nemours. Ces paroles
qu'elles croyoient si indifférentes, ne l'étoient pas pour
monsieur de Clèves, quoiqu'il dût bien s'imaginer que
monsieur de Nemours pouvoit trouver souvent des occasions de parler à sa femme. Néanmoins, la pensée qu'il
étoit chez elle, qu'il y étoit seul, et qu'il lui pouvoit
parler de son amour, lui parut, dans ce moment, une
chose si nouvelle et si insupportable, que la jalousie
s'alluma dans son cœur avec plus de violence qu'elle
n'avoit encore fait. Il lui fut impossible de demeurer
chez la reine; il s'en revint, ne sachant pas même pourquoi il revenoit, et s'il avoit dessein d'aller interrompre
monsieur de Nemours. Sitôt qu'il approcha de chez lui,
il regarda s'il ne verroit rien qui lui pût faire juger si
ce prince y étoit encore: il sentit du soulagement en

voyant qu'il n'y étoit plus, et il trouva de la douceur à penser qu'il ne pouvoit y avoir demeuré longtemps. Il s'imagina que ce n'étoit peut-être pas monsieur de Nemours dont il devoit être jaloux: et, quoiqu'il n'en doutât point, il cherchoit à en douter; mais tant de choses l'en auroient persuadé qu'il ne demeuroit pas longtemps dans cette incertitude qu'il désiroit. Il alla d'abord dans la chambre de sa femme; et, après lui avoir parlé quelque temps de choses indifférentes, il ne put s'empêcher de lui demander ce qu'elle avoit fait, et qui elle avoit vu; elle lui en rendit compte. Comme il vit qu'elle ne lui nommoit point monsieur de Nemours, il lui demanda, en tremblant, si c'étoit tout ce qu'elle avoit vu, afin de lui donner lieu de nommer ce prince, et de n'avoir pas la douleur qu'elle lui en fît une finesse. Comme elle ne l'avoit point vu, elle ne le lui nomma point, et monsieur de Clèves reprenant la parole avec un ton qui marquoit son affliction: Et monsieur de Nemours, lui dit-il, ne l'avez-vous point vu, ou l'avez-vous oublié? Je ne l'ai point vu en effet, répondit-elle; je me trouvois mal, et j'ai envoyé une de mes femmes lui faire des excuses. Vous ne vous trouviez donc mal que pour lui, reprit monsieur de Clèves, puisque vous avez vu tout le monde; pourquoi des distinctions pour monsieur de Nemours? Pourquoi ne vous est-il pas comme un autre? Pourquoi faut-il que vous craigniez sa vue? Pourquoi lui laissez-vous voir que vous la craignez? Pourquoi lui faites-vous connoître que vous vous servez du pouvoir que sa passion vous donne sur lui? Oseriez-vous refuser de le voir, si vous ne saviez bien qu'il distingue vos rigueurs de l'incivilité? Mais pourquoi faut-il que vous ayez des rigueurs pour lui? D'une personne comme vous, madame, tout est des faveurs hors l'indifférence. Je ne croyois pas, reprit madame de Clèves, quelque soupçon que vous ayez sur monsieur de Nemours, que vous pus-

siez me faire des reproches de ne l'avoir pas vu. Je
vous en fais pourtant, madame, répliqua-t-il, et ils sont
bien fondés: Pourquoi ne le pas voir, s'il ne vous a
rien dit? Mais, madame, il vous a parlé; si son silence
seul vous avoit témoigné sa passion, elle n'auroit pas
fait en vous une si grande impression; vous n'avez pu
me dire la vérité tout entière, vous m'en avez caché la
plus grande partie; vous vous êtes repentie même du
peu que vous m'avez avoué, et vous n'avez pas eu la
force de continuer. Je suis plus malheureux que je ne
l'ai cru, et je suis le plus malheureux de tous les hommes.
Vous êtes ma femme, je vous aime comme ma maîtresse,
et je vous en vois aimer un autre! cet autre est le plus
aimable de la cour, et il vous voit tous les jours; il sait
que vous l'aimez. Eh! j'ai pu croire, s'écria-t-il, que
vous surmonteriez la passion que vous avez pour lui!
Il faut que j'aie perdu la raison pour avoir cru qu'il
fût possible. Je ne sais, reprit tristement madame de
Clèves, si vous avez eu tort de juger favorablement
d'un procédé aussi extraordinaire que le mien; mais
je ne sais si je ne me suis trompée d'avoir cru que vous
me feriez justice. N'en doutez pas, madame, répliqua
monsieur de Clèves, vous vous êtes trompée; vous avez
attendu de moi des choses aussi impossibles que celles
que j'attendois de vous. Comment pouviez-vous espérer
que je conservasse de la raison? Vous aviez donc oublié
que je vous aimois éperdument, et que j'étois votre mari?
L'un des deux peut porter aux extrémités: que ne peuvent point les deux ensemble? Eh! que ne font-ils point
aussi! continua-t-il, je n'ai que des sentiments violents
et incertains dont je ne suis pas le maître. Je ne me
trouve plus digne de vous; vous ne me paroissez plus
digne de moi. Je vous adore, je vous hais; je vous of-
fense, je vous demande pardon; je vous admire, j'ai
honte de vous admirer. Enfin, il n'y a plus en moi ni

de calme ni de raison. Je ne sais comment j'ai pu vivre depuis que vous me parlâtes à Coulommiers, et depuis le jour que vous apprîtes de madame la dauphine que l'on savoit votre aventure. Je ne saurois démêler par où elle a été sue, ni ce qui se passa entre monsieur de Nemours et vous sur ce sujet: vous ne me l'expliquerez jamais, et je ne vous demande point de me l'expliquer: je vous demande seulement de vous souvenir que vous m'avez rendu le plus malheureux homme du monde.

Monsieur de Clèves sortit de chez sa femme, après ces paroles, et partit le lendemain sans la voir; mais il lui écrivit une lettre pleine d'affliction, d'honnêteté et de douceur; elle y fit une réponse si touchante et si remplie d'assurance de sa conduite passée, et de celle qu'elle auroit à l'avenir, que, comme ses assurances étoient fondées sur la vérité, et que c'étoit en effet ses sentiments, cette lettre fit de l'impression sur monsieur de Clèves, et lui donna quelque calme; joint que monsieur de Nemours allant trouver le roi, aussi bien que lui, il avoit le repos de savoir qu'il ne seroit pas au même lieu que madame de Clèves. Toutes les fois que cette princesse parloit à son mari, la passion qu'il lui témoignoit, l'honnêteté de son procédé, l'amitié qu'elle avoit pour lui, et ce qu'elle lui devoit, faisoient des impressions dans son cœur qui affoiblissoient l'idée de monsieur de Nemours; mais ce n'étoit que pour quelque temps; et cette idée revenoit bientôt plus vive et plus présente qu'auparavant.

Les premiers jours du départ de ce prince, elle ne sentit quasi pas son absence; ensuite elle lui parut cruelle: depuis qu'elle l'aimoit, il ne s'étoit point passé de jour qu'elle n'eût craint ou espéré de le recontrer; et elle trouva une grande peine à penser qu'il n'étoit plus tu pouvoir du hasard de faire qu'elle le recontrât.

Elle s'en alla à Coulommiers, et, en y allant, elle eut

soin d'y faire porter de grands tableaux qu'elle avoit
fait copier sur des originaux qu'avoit fait faire madame
de Valentinois pour sa belle maison d'Anet. Toutes les
actions remarquables qui s'étoient passées du règne du
roi, étoient dans ces tableaux. Il y avoit entre autres
le siège de Metz, et tous ceux qui s'y étoient distingués
étoient peints fort ressemblants. Monsieur de Nemours
étoit de ce nombre, et c'étoit peut-être ce qui avoit
donné envie à madame de Clèves d'avoir ces tableaux.

Madame de Martigues, qui n'avoit pu partir avec la
cour, lui promit d'aller passer quelques jours à Coulommiers. La faveur de la reine qu'elles partageoient
ne leur avoit point donné d'envie, ni d'éloignement l'une
de l'autre: elles étoient amies, sans néanmoins se confier
leurs sentiments. Madame de Clèves savoit que madame
de Martigues aimoit le vidame; mais madame de Martigues ne savoit pas que madame de Clèves aimât monsieur de Nemours, ni qu'elle en fût aimée. La qualité
de nièce du vidame rendoit madame de Clèves plus
chère à madame de Martigues, et madame de Clèves l'aimoit aussi comme une personne qui avoit une passion
aussi bien qu'elle, et qui l'avoit pour l'ami intime de son
amant.

Madame de Martigues vint à Coulommiers, comme elle
l'avoit promis à madame de Clèves; elle la trouva dans
une vie fort solitaire. Cette princesse avoit même
cherché le moyen d'être dans une solitude entière, et de
passer les soirs dans les jardins, sans être accompagnée
de ses domestiques: elle venoit dans ce pavillon où
monsieur de Nemours l'avoit écoutée; elle entroit dans
le cabinet qui étoit ouvert sur le jardin. Ses femmes
et ses domestiques demeuroient dans l'autre cabinet, ou
sous le pavillon, et ne venoient point à elle qu'elle ne
les appelât. Madame de Martigues n'avoit jamais vu
Coulommiers; elle fut surprise de toutes les beautés

qu'elle y trouva, et surtout de l'agrément de ce pavillon: madame de Clèves et elle y passoient tous les soirs. La liberté de se trouver seules, la nuit, dans le plus beau lieu du monde, ne laissoit pas finir la conversation entre deux jeunes personnes qui avoient des passions violentes dans le cœur; et, quoiqu'elles ne s'en fissent point de confidence, elles trouvoient un grand plaisir à se parler. Madame de Martigues auroit eu de la peine à quitter Coulommiers, si, en le quittant, elle n'eût dû aller dans un lieu où étoit le vidame. Elle partit pour aller à Chambord, où la cour étoit alors.

Le sacre avoit été fait à Reims par le cardinal de Lorraine, et l'on devoit passer le reste de l'été dans le château de Chambord, qui étoit nouvellement bâti. La reine témoigna une grande joie de revoir madame de Martigues; et, après lui en avoir donné plusieurs marques, elle lui demanda des nouvelles de madame de Clèves, et de ce qu'elle faisoit à la campagne. Monsieur de Nemours et monsieur de Clèves étoient alors chez cette reine. Madame de Martigues, qui avoit trouvé Coulommiers admirable, en conta toutes les beautés, et elle s'étendit extrêmement sur la description de ce pavillon de la forêt, et sur le plaisir qu'avoit madame de Clèves de s'y promener seule une partie de la nuit. Monsieur de Nemours, qui connoissoit assez le lieu pour entendre ce qu'en disoit madame de Martigues, pensa qu'il n'étoit pas impossible qu'il y pût voir madame de Clèves, sans être vu que d'elle. Il fit quelques questions à madame de Martigues, pour s'en éclaircir encore; et monsieur de Clèves, qui l'avoit toujours regardé pendant que madame de Martigues avoit parlé, crut voir dans ce moment ce qui lui passoit dans l'esprit. Les questions que fit ce prince le confirmèrent encore dans cette pensée: en sorte qu'il ne douta point qu'il n'eût dessein d'aller voir sa femme. Il ne se trompoit pas dans ses soupçons. Ce dessein entra si fortement dans l'esprit de monsieur de Nemours, qu'après avoir passé la nuit à songer aux moyens de l'exécuter, dès le lendemain matin, il demanda congé au roi pour aller à Paris, sur quelque prétexte qu'il inventa.

Monsieur de Clèves ne douta point du sujet de ce voyage; mais il résolut de s'éclaircir de la conduite de sa femme, et de ne pas demeurer dans une cruelle incertitude. Il eut envie de partir en même temps que monsieur de Nemours, et de venir lui-même, caché, découvrir quel succès auroit ce voyage; mais, craignant que son départ ne parût extraordinaire, et que monsieur de Nemours, en étant averti, ne prît d'autres mesures, il résolut de se fier à un gentilhomme qui étoit à lui, dont il connoissoit la fidélité et l'esprit. Il lui conta dans quel embarras il se trouvoit. Il lui dit quelle avoit été jusqu'alors la vertu de madame de Clèves, lui ordonna de partir sur les pas de monsieur de Nemours, de l'observer exactement, de voir s'il n'iroit point à Coulommiers, et s'il n'entreroit point la nuit dans le jardin.

Le gentilhomme, qui étoit très capable d'une telle commission, s'en acquitta avec toute l'exactitude imaginable. Il suivit monsieur de Nemours jusqu'à un village, à une demi-lieue de Coulommiers, où ce prince s'arrêta, et le gentilhomme devina aisément que c'étoit pour y attendre la nuit. Il ne crut pas à propos de l'y attendre aussi; il passa le village, et alla dans la forêt à l'endroit par où il jugeoit que monsieur de Nemours pouvoit passer; il ne se trompa point dans tout ce qu'il avoit pensé. Sitôt que la nuit fut venue, il entendit marcher, et, quoiqu'il fît obscur, il reconnut aisément monsieur de Nemours. Il le vit faire le tour du jardin, comme pour écouter s'il n'y entendroit personne, et pour choisir le lieu par où il pourroit passer le plus aisément. Les palissades étoient fort hautes, et il y en avoit encore derrière, pour empêcher qu'on ne pût entrer, en sorte qu'il étoit assez difficile de se faire passage. Monsieur de Nemours en vint à bout néanmoins; sitôt qu'il fut dans ce jardin, il n'eut pas de peine à démêler où étoit madame de Clèves; il vit beaucoup de lumières dans le cabinet; toutes les fenêtres en étoient ouvertes; et, en se glissant le long des palissades, il s'en approcha avec un trouble et une émotion qu'il est aisé de se représenter. Il se rangea derrière une des fenêtres qui servoient de porte, pour voir ce que faisoit madame de Clèves. Il vit qu'elle étoit seule; mais il la vit d'une si admirable beauté, qu'à peine fut-il maître du transport que lui donna cette vue. Il faisoit chaud, et elle n'avoit rien sur sa tête et sur sa gorge que ses cheveux confusément rattachés. Elle étoit sur un lit de repos, avec une table devant elle, où il y avoit plusieurs corbeilles pleines de rubans; elle en choisit quelques-uns, et monsieur de Nemours remarqua que c'étoit des mêmes couleurs qu'il avoit portées au tournoi. Il vit qu'elle en faisoit des nœuds à une canne des Indes, fort extraordinaire, qu'il avoit portée quelque temps, et qu'il avoit donnée à sa sœur, à qui madame de Clèves l'avoit prise sans faire semblant de la reconnoître pour avoir été à monsieur de Nemours. Après qu'elle eut achevé son ouvrage, avec une grâce et une douceur qui répandoient sur son visage les sentiments qu'elle avoit dans le cœur, elle prit un flambeau et s'en alla proche d'une grande table, vis-à-vis du tableau du siège de Metz, où étoit le portrait de monsieur de Nemours; elle s'assit, et se mit à regarder ce portrait avec une attention et une rêverie que la passion seule peut donner.

On ne peut exprimer ce que sentit monsieur de Nemours dans ce moment. Voir, au milieu de la nuit, dans le plus beau lieu du monde, une personne qu'il adoroit; la voir sans qu'elle sût qu'il la voyoit; et la voir tout occupée de choses qui avoient du rapport à lui et à la passion qu'elle lui cachoit, c'est ce que n'a jamais été goûté ni imaginé par nul autre amant.

Ce prince étoit aussi tellement hors de lui-même, qu'il demeuroit immobile à regarder madame de Clèves, sans songer que les moments lui étoient précieux. Quand il fut un peu remis, il pensa qu'il devoit attendre à lui parler qu'elle allât dans le jardin; il crut qu'il le pourroit faire avec plus de sûreté, parce qu'elle seroit plus éloignée de ses femmes; mais voyant qu'elle demeuroit dans le cabinet, il prit la résolution d'y entrer. Quand il voulut l'exécuter, quel trouble n'eut-il point! Quelle crainte de lui déplaire! Quelle peur de faire changer ce visage où il y avoit tant de douceur, et de le voir devenir plein de sévérité et de colère!

Il trouva qu'il avoit eu de la folie, non pas à venir voir madame de Clèves sans être vu, mais à penser de s'en faire voir; il vit tout ce qu'il n'avoit point encore envisagé. Il lui parut de l'extravagance dans sa hardiesse de venir surprendre, au milieu de la nuit, une personne à qui il n'avoit encore jamais parlé de son amour. Il pensa qu'il ne devoit pas prétendre qu'elle le voulût écouter, et qu'elle auroit une juste colère du péril où il l'exposoit par les accidents qui pouvoient arriver. Tout son courage l'abandonna, et il fut prêt plusieurs fois à prendre la résolution de s'en retourner sans se faire voir. Poussé néanmoins par le désir de lui parler, et rassuré par les espérances que lui donnoit tout ce qu'il avoit vu, il avança quelques pas, mais avec tant de trouble, qu'une écharpe qu'il avoit s'embarrassa dans la fenêtre, en sorte qu'il fit du bruit. Madame de Clèves tourna la tête, et, soit qu'elle eût l'esprit rempli de ce prince, ou qu'il fût dans un lieu où la lumière donnoit assez pour qu'elle le pût distinguer, elle crut le reconnoître; et, sans balancer, ni se retourner du côté

où il étoit, elle entra dans le lieu où étoient ses femmes.
Elle y entra avec tant de trouble, qu'elle fut contrainte,
pour le cacher, de dire qu'elle se trouvoit mal; et elle
le dit aussi pour occuper tous ses gens, et pour donner
le temps à monsieur de Nemours de se retirer. Quand
elle eut fait quelque réflexion, elle pensa qu'elle s'étoit
trompée, et que c'étoit un effet de son imagination
d'avoir cru voir monsieur de Nemours. Elle savoit qu'il
étoit à Chambord; elle ne trouvoit nulle apparence qu'il
eût entrepris une chose si hasardeuse; elle eut envie
plusieurs fois de rentrer dans le cabinet, et d'aller voir
dans le jardin s'il y avoit quelqu'un. Peut-être souhai-
toit-elle, autant qu'elle le craignoit, d'y trouver monsieur
de Nemours; mais enfin, la raison et la prudence l'em-
portèrent sur tous ses autres sentiments, et elle trouva
qu'il valoit mieux demeurer dans le doute où elle étoit,
que de prendre le hasard de s'en éclaircir. Elle fut longtemps à se résoudre à sortir d'un lieu dont elle pensoit
que ce prince étoit peut-être si proche, et il étoit quasi
jour quand elle revint au château.

Monsieur de Nemours étoit demeuré dans le jardin,
tant qu'il avoit vu de la lumière; il n'avoit pu perdre
l'espérance de revoir madame de Clèves, quoiqu'il fût
persuadé qu'elle l'avoit reconnu, et qu'elle n'étoit sortie
que pour l'éviter; mais, voyant qu'on fermoit les portes,
il jugea bien qu'il n'avoit plus rien à espérer. Il vint
reprendre son chemin tout proche du lieu où attendoit
le gentilhomme de monsieur de Clèves. Ce gentilhomme
le suivit jusqu'au même village d'où il étoit parti le
soir. Monsieur de Nemours se résolut d'y passer tout le
jour, afin de retourner la nuit à Coulommiers, pour voir
si madame de Clèves auroit encore la cruauté de le
fuir, ou celle de ne se pas exposer à être vue. Quoiqu'il
eût une joie sensible de l'avoir trouvée si remplie de son

idée, il étoit néanmoins très affligé de lui avoir vu un mouvement si naturel de le fuir.

La passion n'a jamais été si tendre et si violente qu'elle l'étoit alors en ce prince. Il s'en alla sous des saules, le long d'un petit ruisseau qui couloit derrière la maison où il étoit caché. Il s'éloigna le plus qu'il lui fut possible, pour n'être vu ni entendu de personne; il s'abandonna aux transports de son amour, et son cœur en fut tellement pressé qu'il fut contraint de laisser couler quelques larmes; mais ces larmes n'étoient pas de celles que la douleur seule fait répandre: elles étoient mêlées de douceur, et de ce charme qui ne se trouve que dans l'amour.

Il se mit à repasser toutes les actions de madame de Clèves depuis qu'il en étoit amoureux: quelle rigueur honnête et modeste elle avoit toujours eue pour lui, quoiqu'elle l'aimât. Car, enfin, elle m'aime, disoit-il; elle m'aime, je n'en saurois douter; les plus grands engagements et les plus grandes faveurs ne sont pas des marques si assurées que celles que j'en ai eues; cependant je suis traité avec la même rigueur que si j'étois haï; j'ai espéré au temps, je n'en dois plus rien attendre; je la vois toujours se défendre également contre moi et contre elle-même. Si je n'étois point aimé, je songerois à plaire; mais je plais, on m'aime, et on me le cache. Que puis-je donc espérer, et quel changement dois-je attendre dans ma destinée? Quoi! je serai aimé de la plus aimable personne du monde, et je n'aurai cet excès d'amour que donnent les premières certitudes d'être aimé, que pour mieux sentir la douleur d'être maltraité! Laissez-moi voir que vous m'aimez, belle princesse, s'écria-t-il, laissez-moi voir vos sentiments. Pourvu que je les connoisse par vous une fois en ma vie, je consens que vous repreniez, pour toujours, ces rigueurs dont vous m'accablez. Regardez-moi du moins avec ces mêmes

yeux dont je vous ai vue cette nuit regarder mon portrait; pouvez-vous l'avoir regardé avec tant de douceur, et m'avoir fui moi-même si cruellement? Que
craignez-vous? Pourquoi mon amour vous est-il si redoutable? Vous m'aimez, vous me le cachez inutilement;
vous-même m'en avez donné des marques involontaires.
Je sais mon bonheur; laissez-m'en jouir, et cessez de
me rendre malheureux. Est-il possible, reprenoit-il, que
je sois aimé de madame de Clèves, et que je sois malheureux? Qu'elle étoit belle cette nuit! comment ai-je
pu résister à l'envie de me jeter à ses pieds? Si je
l'avois fait, je l'aurois peut-être empêchée de me fuir,
mon respect l'auroit rassurée; mais peut-être elle ne m'a
pas reconnu; je m'afflige plus que je ne dois, et la vue
d'un homme à une heure si extraordinaire l'a effrayée.

Ces mêmes pensées occupèrent tout le jour monsieur
de Nemours; il attendit la nuit avec impatience; et,
quand elle fut venue, il reprit le chemin de Coulommiers. Le gentilhomme de monsieur de Clèves, qui s'étoit
déguisé afin d'être moins remarqué, le suivit jusqu'au
lieu où il l'avoit suivi le soir d'auparavant, et le vit
entrer dans le même jardin. Ce prince connut bientôt
que madame de Clèves n'avoit pas voulu hasarder qu'il
essayât encore de la voir; toutes les portes étoient
fermées: il tourna de tous les côtés pour découvrir s'il
ne verroit point de lumières; mais ce fut inutilement.

Madame de Clèves, s'étant doutée que monsieur de
Nemours pourroit revenir, étoit demeurée dans sa chambre; elle avoit appréhendé de n'avoir pas toujours la
force de le fuir, et elle n'avoit pas voulu se mettre au
hasard de lui parler d'une manière si peu conforme à
la conduite qu'elle avoit eue jusqu'alors.

Quoique monsieur de Nemours n'eût aucune espérance
de la voir, il ne put se résoudre à sortir sitôt d'un lieu
où elle étoit si souvent. Il passa la nuit entière dans le

jardin, et trouva quelque consolation à voir du moins
les mêmes objets qu'elle voyoit tous les jours. Le soleil
étoit levé devant qu'il pensât à se retirer; mais enfin
la crainte d'être découvert l'obligea à s'en aller.

Il lui fut impossible de s'éloigner sans voir madame
de Clèves, et il alla chez madame de Mercœur qui étoit
alors dans cette maison qu'elle avoit proche de Coulommiers. Elle fut extrêmement surprise de l'arrivée de
son frère. Il inventa une cause de son voyage, assez
vraisemblable pour la tromper, et enfin, il conduisit si
habilement son dessein, qu'il l'obligea à lui proposer
d'elle-même d'aller chez madame de Clèves. Cette proposition fut exécutée dès le même jour, et monsieur de
Nemours dit à sa sœur qu'il la quitteroit à Coulommiers, pour s'en retourner en diligence trouver le roi.
Il fit ce dessein de la quitter à Coulommiers, dans la
pensée de l'en laisser partir la première; et il crut avoir
trouvé un moyen infaillible de parler à madame de
Clèves.

Comme ils arrivèrent, elle se promenoit dans une
grande allée qui borde le parterre. La vue de monsieur
de Nemours ne lui causa pas un médiocre trouble, et
ne lui laissa plus douter que ce ne fût lui qu'elle avoit
vu la nuit précédente: cette certitude lui donna quelque
mouvement de colère par la hardiesse et l'imprudence
qu'elle trouvoit dans ce qu'il avoit entrepris. Ce prince
remarqua une impression de froideur sur son visage qui
lui donna une sensible douleur. La conversation fut de
choses indifférentes; et, néanmoins, il trouva l'art d'y
faire paroître tant d'esprit, tant de complaisance et
tant d'admiration pour madame de Clèves, qu'il dissipa,
malgré elle, une partie de la froideur qu'elle avoit eue
d'abord.

Lorsqu'il se sentit rassuré de sa première crainte, il
témoigna une extrême curiosité d'aller voir le pavillon

de la forêt: il en parla comme du plus agréable lieu du monde, et en fit même une description si particulière, que madame de Mercœur lui dit qu'il falloit qu'il y eût été plusieurs fois pour en connoître si bien toutes les beautés. Je ne crois pourtant pas, reprit madame de Clèves, que monsieur de Nemours y ait jamais entré, c'est un lieu qui n'est achevé que depuis peu. Il n'y a pas longtemps aussi que j'y ai été, reprit monsieur de Nemours en la regardant, et je ne sais si je ne dois point être bien aise que vous ayez oublié de m'y avoir vu. Madame de Mercœur, qui regardoit la beauté des jardins, n'avoit point d'attention à ce que disoit son frère. Madame de Clèves rougit; et, baissant les yeux sans regarder monsieur de Nemours: Je ne me souviens point, lui dit-elle, de vous y avoir vu; et, si vous y avez été, c'est sans que je l'aie su. Il est vrai, madame, répliqua monsieur de Nemours, que j'y ai été sans vos ordres, et j'y ai passé les plus doux et les plus cruels moments de ma vie.

Madame de Clèves entendoit trop bien tout ce que disoit ce prince; mais elle n'y répondit point: elle songea à empêcher madame de Mercœur d'aller dans ce cabinet, parce que le portrait de monsieur de Nemours y étoit, et qu'elle ne vouloit pas qu'elle l'y vît. Elle fit si bien que le temps se passa insensiblement, et madame de Mercœur parla de s'en retourner; mais, quand madame de Clèves vit que monsieur de Nemours et sa sœur ne s'en alloient pas ensemble, elle jugea bien à quoi elle alloit être exposée: elle se trouva dans le même embarras où elle s'étoit trouvée à Paris, et elle prit aussi le même parti. La crainte que cette visite ne fût encore une confirmation des soupçons qu'avoit son mari ne contribua pas peu à la déterminer; et, pour éviter que monsieur de Nemours ne demeurât seul avec elle, elle dit à madame de Mercœur qu'elle l'alloit conduire

jusqu'au bord de la forêt, et elle ordonna que son carrosse la suivît. La douleur qu'eut ce prince de trouver
toujours cette même continuation des rigueurs en madame de Clèves fut si violente qu'il en pâlit dans le
même moment. Madame de Mercœur lui demanda s'il
se trouvoit mal; mais il regarda madame de Clèves, sans
que personne s'en aperçût, et il lui fit juger, par ses
regards, qu'il n'avoit d'autre mal que son désespoir.
Cependant il fallut qu'il les laissât partir sans oser
les suivre; et, après ce qu'il avoit dit, il ne pouvoit
plus retourner avec sa sœur: ainsi, il revint à Paris, et
en partit le lendemain.

Le gentilhomme de monsieur de Clèves l'avoit toujours observé: il revint aussi à Paris; et, comme il vit
monsieur de Nemours parti pour Chambord, il prit la
poste afin d'y arriver devant lui, et de rendre compte
de son voyage. Son maître attendoit son retour comme
ce qui alloit décider du malheur de toute sa vie.

Sitôt qu'il le vit, il jugea par son visage et par son
silence qu'il n'avoit que des choses fâcheuses à lui apprendre. Il demeura quelque temps saisi d'affliction, la
tête baissée, sans pouvoir parler; enfin, il lui fit signe
de la main de se retirer. Allez, lui dit-il, je vois ce que
vous avez à me dire; mais je n'ai pas la force de l'écouter. Je n'ai rien à vous apprendre, répondit le gentilhomme, sur quoi on puisse faire de jugement assuré; il
est vrai que monsieur de Nemours a entré deux nuits
de suite dans le jardin de la forêt, et qu'il a été le
jour d'après à Coulommiers avec madame de Mercœur.
C'est assez, répliqua monsieur de Clèves, c'est assez, en
lui faisant encore signe de se retirer, et je n'ai pas
besoin d'un plus grand éclaircissement. Le gentilhomme
fut contraint de laisser son maître abandonné à son
désespoir. Il n'y en a peut-être jamais eu un plus violent, et peu d'hommes d'un aussi grand courage et d'un

cœur aussi passionné que monsieur de Clèves ont ressenti en même temps la douleur que cause l'infidélité d'une maîtresse et la honte d'être trompé par une femme.

Monsieur de Clèves ne put résister à l'accablement où il se trouva. La fièvre lui prit dès la nuit même, et avec de si grands accidents, que dès ce moment sa maladie parut très-dangereuse: on en donna avis à madame de Clèves; elle vint en diligence. Quand elle arriva, il étoit encore plus mal; elle lui trouva quelque chose de si froid et de si glacé pour elle, qu'elle en fut extrêmement surprise et affligée. Il lui parut même qu'il recevoit avec peine les services qu'elle lui rendoit; mais enfin, elle pensa que c'étoit peut-être un effet de sa maladie.

D'abord qu'elle fut à Blois, où la cour étoit alors, monsieur de Nemours ne put s'empêcher d'avoir de la joie de savoir qu'elle étoit dans le même lieu que lui. Il essaya de la voir, et alla tous les jours chez monsieur de Clèves, sur le prétexte de savoir de ses nouvelles; mais ce fut inutilement. Elle ne sortoit point de la chambre de son mari, et avoit une douleur violente de l'état où elle le voyoit. Monsieur de Nemours étoit désespéré qu'el e fût si affligée. Il jugeoit aisément combien cette affliction renouveloit l'amitié qu'elle avoit pour monsieur de Clèves, et combien cette amitié faisoit une diversion dangereuse à la passion qu'elle avoit dans le cœur. Ce sentiment lui donna un chagrin mortel pendant quelque temps; mais l'extrémité du mal de monsieur de Clèves lui ouvrit de nouvelles espérances. Il vit que madame de Clèves seroit peut-être en liberté de suivre son inclination, et qu'il pourroit trouver dans l'avenir une suite de bonheur et de plaisirs durables. Il ne pouvoit soutenir cette pensée, tant elle lui donnoit de trouble et de transports, et il en éloignoit son esprit

par la crainte de se trouver trop malheureux, s'il venoit
à perdre ses espérances.

Cependant monsieur Clèves étoit presque abandonné
des médecins. Un des derniers jours de son mal, après
avoir passé une nuit très-fâcheuse, il dit sur le matin
qu'il vouloit reposer. Madame de Clèves demeura seule
dans sa chambre; il lui parut qu'au lieu de reposer, il
avoit beaucoup d'inquiétude; elle s'approcha, et se
vint mettre à genoux devant son lit, le visage tout couvert de larmes. Monsieur de Clèves avoit résolu de ne
lui point témoigner le violent chagrin qu'il avoit contre elle; mais les soins qu'elle lui rendoit, et son affliction, qui lui paroissoit quelquefois véritable, et qu'il
regardoit aussi quelquefois comme des marques de dissimulation et de perfidie, lui causoient des sentiments
si opposés et si douloureux, qu'il ne les put renfermer
en lui-même.

Vous versez bien des pleurs, madame, lui dit-il, pour
une mort que vous causez, et qui ne vous peut donner
la douleur que vous faites paroître. Je ne suis plus en
état de vous faire des reproches, continua-t-il avec une
voix affoiblie par la maladie et par la douleur; mais je
meurs du cruel déplaisir que vous m'avez donné. Falloit-il qu'une action aussi extraordinaire que celle que
vous aviez faite de me parler à Coulommiers eût si peu
de suite? Pourquoi m'éclairer sur la passion que vous
aviez pour monsieur de Nemours, si votre vertu n'avoit
pas plus d'étendue pour y résister? Je vous aimois
jusqu'à être bien aise d'être trompé, je l'avoue à ma
honte; j'ai regretté ce faux repos dont vous m'avez tiré.
Que ne me laissiez-vous dans cet aveuglement tranquille
dont jouissent tant de maris? J'eusse peut-être ignoré
toute ma vie que vous aimiez monsieur de Nemours. Je
mourrai, ajouta-t-il; mais sachez que vous me rendez
la mort agréable, et qu'après m'avoir ôté l'estime et

la tendresse que j'avois pour vous, la vie me feroit horreur. Que ferois-je de la vie, reprit-il, pour la passer avec une personne que j'ai tant aimée, et dont j'ai été si cruellement trompé, ou pour vivre séparé de cette même personne, et en venir à un éclat et à des violences si opposés à mon humeur et à la passion que j'avois pour vous? Elle a été au delà de ce que vous en avez vu, madame; je vous en ai caché la plus grande partie, par la crainte de vous importuner, ou de perdre quelque chose de votre estime, par des manières qui ne convenoient pas à un mari; enfin, je méritois votre cœur: encore une fois, je meurs sans regret, puisque je n'ai pu l'avoir, et que je ne puis plus le désirer. Adieu, madame, vous regretterez quelque jour un homme qui vous aimoit d'une passion véritable et légitime. Vous sentirez le chagrin que trouvent les personnes raisonnables dans ces engagements, et vous connoîtrez la différence d'être aimée comme je vous aimois à l'être par des gens qui, en vous témoignant de l'amour, ne cherchent que l'honneur de vous séduire; mais ma mort vous laissera en liberté, ajouta-t-il, et vous pourrez rendre monsieur de Nemours heureux, sans qu'il vous en coûte des crimes. Qu'importe, reprit-il, ce qui arrivera quand je ne serai plus, et faut-il que j'aie la foiblesse d'y jeter les yeux!

Madame de Clèves étoit si éloignée de s'imaginer que son mari pût avoir des soupçons contre elle, qu'elle écouta toutes ces paroles sans les comprendre, et sans avoir d'autre idée, sinon qu'il lui reprochoit son inclination pour monsieur de Nemours; enfin, sortant tout d'un coup de son aveuglement: Moi des crimes! s'écriat-elle; la pensée même m'en est inconnue. La vertu la plus austère ne peut inspirer d'autre conduite que celle que j'ai eue; et je n'ai jamais fait d'action dont je n'eusse souhaité que vous eussiez été témoin. Eussiez-

vous souhaité, répliqua monsieur de Clèves, en la regardant avec dédain, que je l'eusse été des nuits que
vous avez passées avec monsieur de Nemours? Ah! madame, est-ce de vous dont je parle, quand je parle
d'une femme qui a passé des nuits avec un homme? Non,
monsieur, reprit-elle; non, ce n'est pas de moi dont vous
parlez: je n'ai jamais passé ni de nuits ni de moments
avec monsieur de Nemours. Il ne m'a jamais vue en
particulier; je ne l'ai jamais souffert, ni écouté, et j'en
ferois tous les serments. . . . N'en dites pas davantage,
interrompit monsieur de Clèves; de faux serments ou
un aveu me feroient peut-être une égale peine. Madame
de Clèves ne pouvoit répondre; ses larmes et sa douleur
lui ôtoient la parole; enfin, faisant un·effort: Regardez-
moi du moins; écoutez-moi, lui dit-elle; s'il n'y alloit
que de mon intérêt, je souffrirois ces reproches; mais
il y va de votre vie: écoutez-moi, pour l'amour de vous-
même: il est impossible qu'avec tant de vérité je ne
vous persuade mon innocence. Plût à Dieu que vous me
la pussiez persuader! s'écria-t-il; mais que me pouvez-
vous dire? Monsieur de Nemours n'a-t-il pas été à Coulommiers avec sa sœur? Et n'avoit-il pas passé les deux
nuits précédentes avec vous dans le jardin de la forêt?
Si c'est là mon crime, répliqua-t-elle, il m'est aisé de
me justifier; je ne vous demande point de me croire;
mais croyez tous vos domestiques, et sachez si j'allai
dans le jardin de la forêt la veille que monsieur de
Nemours vint à Coulommiers, et si je n'en sortis pas
le soir d'auparavant deux heures plus tôt que je n'avois
accoutumé. Elle lui conta ensuite comme elle avoit cru
voir quelqu'un dans ce jardin. Elle lui avoua qu'elle
avoit cru que c'étoit monsieur de Nemours. Elle lui
parla avec tant d'assurance, et la vérité se persuade si
aisément, lors même qu'elle n'est pas vraisemblable, que
monsieur de Clèves fut presque convaincu de son inno-

cence. Je ne sais, lui dit-il, si je me dois laisser aller
à vous croire. Je me sens si proche de la mort, que je
ne veux rien voir de ce qui pourroit me faire regretter
la vie. Vous m'avez éclairci trop tard; mais ce me sera
toujours un soulagement d'emporter la pensée que vous
êtes digne de l'estime que j'ai eue pour vous. Je vous
prie que je puisse encore avoir la consolation de croire
que ma mémoire vous sera chère, et que, s'il eût dé-
pendu de vous, vous eussiez eu pour moi les sentiments
que vous avez pour un autre. Il voulut continuer; mais
une foiblesse lui ôta la parole. Madame de Clèves fit
venir les médicins; ils le trouvèrent presque sans vie.
Il languit néanmoins encore quelques jours, et mourut
enfin avec une constance admirable.

Madame de Clèves demeura dans une affliction si violente, qu'elle perdit quasi l'usage de la raison. La reine
la vint voir avec soin, et la mena dans un couvent, sans
qu'elle sût où on la conduisoit. Ses belles-sœurs la rame-
nèrent à Paris, qu'elle n'étoit pas encore en état de
sentir distinctement sa douleur. Quand elle commença
d'avoir la force de l'envisager, et qu'elle vit quel mari
elle avoit perdu, qu'elle considéra qu'elle étoit la cause
de sa mort, et que c'étoit par la passion qu'elle avoit eue
pour un autre qu'elle en étoit cause, l'horreur qu'elle eut
pour elle-même et pour monsieur de Nemours ne se peut
représenter.

Ce prince n'osa, dans ces commencements, lui rendre
d'autres soins que ceux que lui ordonnoit la bienséance.
Il connoissoit assez madame de Clèves, pour croire qu'un
plus grand empressement lui seroit désagréable; mais ce
qu'il apprit ensuite lui fit bien voir qu'il devoit avoir
longtemps la même conduite.

Un écuyer qu'il avoit lui conta que le gentilhomme
de monsieur de Clèves, qui étoit son ami intime, lui avoit
dit, dans sa douleur de la perte de son maître, que le

voyage de monsieur de Nemours à Coulommiers étoit
cause de sa mort. Monsieur de Nemours fut extrêmement surpris de ce discours; mais, après y avoir fait
réflexion, il devina une partie de la vérité, et il jugea
bien quels seroient d'abord les sentiments de madame de
Clèves et quel éloignement elle auroit de lui, si elle
croyoit que le mal de son mari eût été causé par la
jalousie. Il crut qu'il ne falloit pas même la faire sitôt
souvenir de son nom; et il suivit cette conduite, quelque
pénible qu'elle lui parût.

Il fit un voyage à Paris, et ne put s'empêcher néanmoins d'aller à sa porte pour apprendre de ses nouvelles.
On lui dit que personne ne la voyoit, et qu'elle avoit
même défendu qu'on lui rendît compte de ceux qui
l'iroient chercher. Peut-être que ces ordres si exacts
étoient donnés en vue de ce prince, et pour ne point
entendre parler de lui. Monsieur de Nemours étoit trop
amoureux pour pouvoir vivre si absolument privé de la
vue de madame de Clèves. Il résolut de trouver des
moyens, quelque difficiles qu'ils puissent être, de sortir
d'un état qui lui paroissoit si insupportable.

La douleur de cette princesse passoit les bornes de
la raison. Ce mari mourant, et mourant à cause d'elle
et avec tant de tendresse pour elle, ne lui sortoit point
de l'esprit. Elle repassoit incessamment tout ce qu'elle
lui devoit; et elle se faisoit un crime de n'avoir pas eu
de la passion pour lui, comme si c'eût été une chose qui
eût été en son pouvoir. Elle ne trouvoit de consolation
qu'à penser qu'elle le regrettoit autant qu'il méritoit
d'être regretté, et qu'elle ne feroit, dans le reste de sa
vie, que ce qu'il auroit été bien aise qu'elle eût fait,
s'il avoit vécu.

Elle avoit pensé plusieurs fois comment il avoit su que
monsieur de Nemours étoit venu à Coulommiers: elle ne
soupçonnoit pas ce prince de l'avoir conté, et il lui

paroissoit même indifférent qu'il l'eût redit, tant elle se croyoit guérie et éloignée de la passion qu'elle avoit eue pour lui. Elle sentoit néanmoins une douleur vive de s'imaginer qu'il étoit cause de la mort de son mari, et elle se souvenoit avec peine de la crainte que monsieur de Clèves lui avoit témoignée en mourant, qu'elle ne l'épousât; mais toutes ces douleurs se confondoient dans celle de la perte de son mari, et elle croyoit n'en avoir point d'autre.

Après que plusieurs mois furent passés, elle sortit de cette violente affliction où elle étoit, et passa dans un état de tristesse et de langueur. Madame de Martigues fit un voyage à Paris, et la vit avec soin pendant le séjour qu'elle y fit. Elle l'entretint de la cour, de tout ce qui s'y passoit; et, quoique madame de Clèves ne parût pas y prendre intérêt, madame de Martigues ne laissoit pas de lui en parler pour la divertir.

Elle lui conta des nouvelles du vidame, de monsieur de Guise, et de tous les autres qui étoient distingués par leur personne ou par leur mérite. Pour monsieur de Nemours, dit-elle, je ne sais si les affaires ont pris dans son cœur la place de la galanterie; mais il a bien moins de joie qu'il n'avoit accoutumé d'en avoir; il paroît fort retiré du commerce des femmes; il fait souvent des voyages à Paris, et je crois même qu'il y est présentement. Le nom de monsieur de Nemours surprit madame de Clèves et la fit rougir: elle changea de discours, et madame de Martigues ne s'aperçut point de son trouble.

Le lendemain, cette princesse, qui cherchoit des occupations conformes à l'état où elle étoit, alla, proche de chez elle, voir un homme qui faisoit des ouvrages de soie d'une façon particulière; et elle y fut dans le dessein d'en faire faire de semblables. Après qu'on les lui eut montrés, elle vit la porte d'une chambre où elle crut qu'il y en avoit encore; elle dit qu'on la lui

ouvrit. Le maître répondit qu'il n'en avoit pas la clef,
et qu'elle étoit occupée par un homme qui y venoit
quelquefois pendant le jour, pour dessiner de belles
maisons et des jardins que l'on voyoit de ses fenêtres.
C'est l'homme du monde le mieux fait, ajouta-t-il, il n'a
guère la mine d'être réduit à gagner sa vie. Toutes les
fois qu'il vient céans, je le vois toujours regarder les
maisons et les jardins; mais je ne le vois jamais travailler.

Madame de Clèves écoutoit ce discours avec une
grande attention. Ce que lui avoit dit madame de Martigues, que monsieur de Nemours étoit quelquefois à
Paris, se joignit, dans son imagination, à cet homme
bien fait qui venoit proche de chez elle, et lui fit une
idée de monsieur de Nemours, et de monsieur de Nemours appliqué à la voir, qui lui donnoit un trouble
confus dont elle ne savoit pas même la cause. Elle alla
vers les fenêtres pour voir où elles donnoient: elle trouva
qu'elles voyoient tout son jardin et la face de son appartement; et, lorsqu'elle fut dans sa chambre, elle remarqua aisément cette même fenêtre où on lui avoit dit
que venoit cet homme. La pensée que c'étoit monsieur
de Nemours changea entièrement la situation de son
esprit; elle ne se trouva plus dans un certain triste
repos qu'elle commençoit à goûter; elle se sentit inquiète
et agitée; enfin, ne pouvant demeurer avec elle-même,
elle sortit, et alla prendre l'air dans un jardin hors des
faubourgs, où elle pensoit être seule. Elle crut, en y
arrivant, qu'elle ne s'étoit pas trompée: elle ne vit aucune apparence qu'il y eût quelqu'un, et elle se promena
assez longtemps.

Après avoir traversé un petit bois, elle aperçut, au
bout d'une allée, dans l'endroit le plus reculé du jardin,
une manière de cabinet ouvert de tous côtés, où elle
adressa ses pas. Comme elle en fut proche, elle vit un

homme couché sur des bancs, qui paroissoit enseveli
dans une rêverie profonde, et elle reconnut que c'étoit
monsieur de Nemours. Cette vue l'arrêta tout court;
mais ses gens qui la suivoient, firent quelque bruit, qui
tira monsieur de Nemours de sa rêverie. Sans regarder
qui avoit causé le bruit qu'il avoit entendu, il se leva
de sa place pour éviter la compagnie qui venoit vers
lui, et tourna dans une autre allée, en faisant une
révérence fort basse, qui l'empêcha même de voir ceux
qu'il saluoit.

S'il eût su ce qu'il évitoit, avec quelle ardeur seroit-il
retourné sur ses pas! Mais il continua à suivre l'allée;
et madame de Clèves le vit sortir par une porte de derrière où l'attendoit son carrosse. Quel effet produisit
cette vue d'un moment dans le cœur de madame de
Clèves! Quelle passion endormie se ralluma dans son
cœur et avec quelle violence! Elle s'alla asseoir dans le
même endroit d'où venoit de sortir monsieur de Nemours; elle y demeura comme accablée. Ce prince se
présenta à son esprit, aimable au dessus de tout ce qui
étoit au monde; l'aimant depuis longtemps avec une passion pleine de respect et de fidélité; méprisant tout pour
elle; respectant jusqu'à sa douleur; songeant à la voir
sans songer à en être vu; quittant la cour, dont il
faisoit les délices, pour aller regarder les murailles qui
la renfermoient, pour venir rêver dans les lieux où il
ne pouvoit prétendre de la rencontrer; enfin, un homme
digne d'être aimé par son seul attachement, et pour
qui elle avoit une inclination si violente, qu'elle l'auroit
aimé quand il ne l'auroit pas aimée; mais, de plus, un
homme d'une qualité élevée et convenable à la sienne.
Plus de devoir, plus de vertu qui s'opposassent à ses
sentiments; tous les obstacles étoient levés et il ne restoit
de leur état passé que la passion de monsieur de Nemours pour elle, et que celle qu'elle avoit pour lui.

Toutes ces idées furent nouvelles à cette princesse. L'affliction de la mort de monsieur de Clèves l'avoit assez occupée pour avoir empêché qu'elle n'y eût jeté les yeux. La présence de monsieur de Nemours les amena en foule dans son esprit; mais, quand il en eut été pleinement rempli et qu'elle se souvint aussi que ce même homme, qu'elle regardoit comme pouvant l'épouser, étoit celui qu'elle avoit aimé du vivant de son mari, et qui étoit la cause de sa mort; que, même en mourant, il lui avoit témoigné de la crainte qu'elle ne l'épousât, son austère vertu étoit si blessée de cette imagination, qu'elle ne trouvoit guère moins de crime à épouser monsieur de Nemours qu'elle en avoit trouvé à l'aimer pendant la vie de son mari. Elle s'abandonna à ses réflexions si contraires à son bonheur: elle les fortifia encore de plusieurs raisons qui regardoient son repos et les maux qu'elle prévoyoit en épousant ce prince. Enfin, après avoir demeuré deux heures dans le lieu où elle étoit, elle s'en revint chez elle, persuadée qu'elle devoit fuir sa vue comme une chose entièrement opposée à son devoir.

Mais cette persuasion, qui étoit un effet de sa raison et de sa vertu, n'entraînoit pas son cœur: il demeuroit attaché à monsieur de Nemours avec une violence qui la mettoit dans un état digne de compassion, et qui ne lui laissa plus de repos; elle passa une des plus cruelles nuits qu'elle eût jamais passée. Le matin, son premier mouvement fut d'aller voir s'il n'y auroit personne à la fenêtre qui donnoit chez elle: elle y alla; elle y vit monsieur de Nemours. Cette vue la surprit, et elle se retira avec une promptitude qui fit juger à ce prince qu'il avoit été reconnu. Il avoit souvent désiré de l'être, depuis que sa passion lui avoit fait trouver ces moyens de voir madame de Clèves; et, lorsqu'il n'espéroit pas d'avoir ce plaisir, il alloit rêver dans le même jardin où elle l'avoit trouvé.

Lassé enfin d'un état si malheureux et si incertain, il résolut de tenter quelque voie d'éclaircir sa destinée. Que veux-je attendre? disoit-il; il y a longtemps que je sais que j'en suis aimé; elle est libre; elle n'a plus de devoir à m'opposer. Pourquoi me réduire à la voir sans en être vu, et sans lui parler? Est-il possible que l'amour m'ait si absolument ôté la raison et la hardiesse, et qu'il m'ait rendu si différent de ce que j'ai été dans les autres passions de ma vie? J'ai dû respecter la douleur de madame de Clèves; mais je la respecte trop longtemps, et je lui donne le loisir d'éteindre l'inclination qu'elle a pour moi.

Après ces réflexions, il songea aux moyens dont il devoit se servir pour la voir. Il crut qu'il n'y avoit plus rien qui l'obligeât à cacher sa passion au vidame de Chartres; il résolut de lui en parler, et de lui dire le dessein qu'il avoit pour sa nièce.

Le vidame étoit alors à Paris: tout le monde y étoit venu donner ordre à son équipage et à ses habits, pour suivre le roi, qui devoit conduire la reine d'Espagne. Monsieur de Nemours alla donc chez le vidame, et lui fit un aveu sincère de tout ce qu'il lui avoit caché jusqu'alors, à la réserve des sentiments de madame de Clèves, dont il ne voulut pas paroître instruit.

Le vidame reçut tout ce qu'il lui dit avec beaucoup de joie, et l'assura que, sans savoir ses sentiments, il avoit souvent pensé, depuis que madame de Clèves étoit veuve, qu'elle étoit la seule personne digne de lui. Monsieur de Nemours le pria de lui donner les moyens de lui parler, et de savoir quelles étoient ses dispositions.

Le vidame lui proposa de le mener chez elle; mais monsieur de Nemours crut qu'elle en seroit choquée, parce qu'elle ne voyoit encore personne. Ils trouvèrent qu'il falloit que monsieur le vidame la priât de venir chez lui, sur quelque prétexte, et que monsieur de Nemours y vînt par un escalier dérobé, afin de n'être vu de personne. Cela s'exécuta comme ils l'avoient résolu : madame de Clèves vint ; le vidame l'alla recevoir, et la conduisit dans un grand cabinet, au bout de son appartement ; quelque temps après, monsieur de Nemours entra, comme si le hasard l'eût conduit. Madame de Clèves fut extrêmement surprise de le voir : elle rougit et essaya de cacher sa rougeur. Le vidame parla d'abord de choses indifférentes, et sortit, supposant qu'il avoit quelque ordre à donner. Il dit à madame de Clèves qu'il la prioit de faire les honneurs de chez lui, et qu'il alloit rentrer dans un moment.

L'on ne peut exprimer ce que sentirent monsieur de Nemours et madame de Clèves de se trouver seuls et en état de se parler pour la première fois. Ils demeurèrent quelque temps sans rien dire : enfin, monsieur de Nemours, rompant le silence : Pardonnerez-vous à monsieur de Chartres, madame, lui dit-il, de m'avoir donné l'occasion de vous voir et de vous entretenir, que vous m'avez toujours si cruellement ôtée ? Je ne lui dois pas pardonner, répondit-elle, d'avoir oublié l'état où je suis, et à quoi il expose ma réputation. En prononçant ces paroles, elle voulut s'en aller ; et monsieur de Nemours, la retenant : Ne craignez rien, madame, répliquat-il, personne ne sait que je suis ici, et aucun hasard n'est à craindre. Écoutez-moi, madame, écoutez-moi ; si ce n'est par bonté, que ce soit du moins pour l'amour de vous-même, et pour vous délivrer des extravagances où m'emporteroit infailliblement une passion dont je ne suis plus le maître.

Madame de Clèves céda pour la première fois au penchant qu'elle avoit pour monsieur de Nemours, et le regardant avec des yeux pleins de douceur et de charmes :

Mais qu'espérez-vous, lui dit-elle, de la complaisance que vous me demandez? Vous vous repentirez peut-être de l'avoir obtenue, et je me repentirai infailliblement de vous l'avoir accordée. Vous méritez une destinée plus heureuse que celle que vous avez eue jusqu'ici, et que celle que vous pouvez trouver à l'avenir, à moins que vous ne la cherchiez ailleurs! Moi, madame, lui dit-il, chercher du bonheur ailleurs! et y en a-t-il d'autre que d'être aimé de vous? Quoique je ne vous aie jamais parlé, je ne saurois croire, madame, que vous ignoriez ma passion, et que vous ne la connoissiez pour la plus véritable et la plus violente qui sera jamais. A quelle épreuve a-t-elle été par des choses qui vous sont inconnues? Et à quelle épreuve l'avez-vous mise par vos rigueurs?

Puisque vous voulez que je vous parle, et que je m'y résous, répondit madame de Clèves en s'asseyant, je le ferai avec une sincérité que vous trouverez malaisément dans les personnes de mon sexe. Je ne vous dirai point que je n'ai pas vu l'attachement que vous avez eu pour moi; peut-être ne me croiriez-vous pas quand je vous le dirois; je vous avoue donc, non seulement que je l'ai vu, mais que je l'ai vu tel que vous pouvez souhaiter qu'il m'ait paru. Et si vous l'avez vu, madame, interrompit-il, est-il possible que vous n'en ayez point été touchée? Et, oserois-je vous demander s'il n'a fait aucune impression dans votre cœur? Vous en avez dû juger par ma conduite, lui répliqua-t-elle; mais je voudrois bien savoir ce que vous en avez pensé. Il faudroit que je fusse dans un état plus heureux pour vous l'oser dire, répondit-il; et ma destinée a trop peu de rapport à ce que je vous dirois. Tout ce que je puis vous apprendre, madame, c'est que j'ai souhaité ardemment que vous n'eussiez pas avoué à monsieur de Clèves ce que vous me cachiez, et que vous lui eussiez caché ce que vous m'eussiez laissé voir. Comment avez-vous pu découvrir, reprit-elle en rougissant, que j'aie avoué quelque chose à monsieur de Clèves? Je l'ai su par vous-même, madame, répondit-il; mais, pour me pardonner la hardiesse que j'ai eue de vous écouter, souvenez-vous si j'ai abusé de ce que j'ai entendu, si mes espérances en ont augmenté, et si j'ai eu plus de hardiesse à vous parler.

Il commença à lui conter comme il avoit entendu sa conversation avec monsieur de Clèves; mais elle l'interrompit avant qu'il eût achevé. Ne m'en dites pas davantage, lui dit-elle; je vois présentement par où vous avez été si bien instruit; vous ne me le parûtes déjà que trop chez madame la dauphine, qui avoit su cette aventure par ceux à qui vous l'aviez confiée.

Monsieur de Nemours lui apprit alors de quelle sorte la chose étoit arrivée. Ne vous excusez point, reprit-elle; il y a longtemps que je vous ai pardonné, sans que vous m'ayez dit la raison; mais, puisque vous avez appris par moi-même, ce que j'avois eu dessein de vous cacher toute ma vie, je vous avoue que vous m'avez inspiré des sentiments qui m'étoient inconnus devant que de vous avoir vu, et dont j'avois même si peu d'idée, qu'ils me donnèrent d'abord une surprise qui augmentoit encore le trouble qui les suit toujours. Je vous fais cet aveu avec moins de honte, parce que je le fais dans un temps où je le puis faire sans crime, et que vous avez vu que ma conduite n'a pas été réglée par mes sentiments.

Croyez-vous, madame, lui dit monsieur de Nemours en se jetant à ses genoux, que je n'expire pas à vos pieds de joie et de transport? Je ne vous apprends, lui répondit-elle en souriant, que ce que vous ne saviez déjà que trop. Ah! madame, répliqua-t-il, quelle différence de le savoir par un effet du hasard, ou de l'apprendre par vous-même, et de voir que vous voulez bien que je le sache! Il est vrai, lui dit-elle, que je veux bien que vous le sachiez, et que je trouve de la douceur à vous le dire: je ne sais même si je ne vous le dis point plus pour l'amour de moi que pour l'amour de vous. Car, enfin, cet aveu n'aura point de suite, et je suivrai les règles austères que mon devoir m'impose. Vous n'y songez pas, madame, répondit monsieur de Nemours; il n'y a plus de devoir qui vous lie; vous êtes en liberté, et, si j'osois, je vous dirois même qu'il dépend de vous de faire en sorte que votre devoir vous oblige un jour à conserver les sentiments que vous avez pour moi. Mon devoir, répliqua-t-elle, me défend de penser jamais à personne, et moins à vous qu'à qui que ce soit au monde, par des raisons qui vous sont inconnues. Elles ne me le sont peut-être pas, madame, reprit-il; mais ce ne sont point de véritables raisons. Je crois savoir que monsieur de Clèves m'a cru plus heureux que je n'étois, et qu'il s'est imaginé que vous aviez approuvé des extravagances que la passion m'a fait entreprendre sans votre aveu. Ne parlons point de cette aventure, lui dit-elle, je n'en saurois soutenir la pensée; elle me fait honte, et elle m'est aussi trop douloureuse par les suites qu'elle a eues. Il n'est que trop véritable que vous êtes cause de la mort de monsieur de Clèves; les soupçons que lui a donnés votre conduite inconsidérée lui ont coûté la vie, comme si vous la lui aviez ôtée de vos propres mains. Voyez ce que je devrois faire, si vous en étiez venus ensemble à ces extrémités, et que le même malheur en fût arrivé. Je sais bien que ce n'est pas la même chose à l'égard du monde; mais, au mien, il n'y a aucune différence, puisque je sais que c'est par vous qu'il est mort, et que c'est à cause de moi. Ah! madame, lui dit monsieur de Nemours, quel fantôme de devoir opposez-vous à mon bonheur? Quoi! madame, une pensée vaine et sans fondement vous empêchera de ren-

dre heureux un homme que vous ne haïssez pas? Quoi!
j'aurois pu concevoir l'espérance de passer ma vie
avec vous; ma destinée m'auroit conduit à aimer la
plus estimable personne du monde; j'aurois vu en elle
tout ce qui peut faire une adorable maîtresse; elle ne
m'auroit pas haï, et je n'aurois trouvé dans sa conduite
que tout ce qui peut être à désirer dans une femme! car
enfin, madame, vous êtes peut-être la seule personne en
qui ces deux choses se soient jamais trouvées au degré
qu'elles sont en vous: tous ceux qui épousent des maîtresses dont ils sont aimés tremblent en les épousant,
et regardent avec crainte, par rapport aux autres, la
conduite qu'elles ont eue avec eux; mais, en vous, madame, rien n'est à craindre, et on ne trouve que des
sujets d'admiration; n'aurois-je envisagé, dis-je, une si
grande félicité que pour vous y voir apporter vous-
même des obstacles? Ah! madame, vous oubliez que vous
m'avez distingué du reste des hommes, ou plutôt vous
ne m'en avez jamais distingué: vous vous êtes trompée,
et je me suis flatté.

Vous ne vous êtes point flatté, lui répondit-elle; les
raisons de mon devoir ne me paroîtroient peut-être pas
si fortes sans cette distinction dont vous vous doutez, et
c'est elle qui me fait envisager des malheurs à m'attacher à vous. Je n'ai rien à répondre, madame, reprit-il,
quand vous me faites voir que vous craignez des malheurs; mais je vous avoue qu'après tout ce que vous
avez bien voulu me dire, je ne m'attendois pas à trouver
une si cruelle raison. Elle est si peu offensante pour
vous, reprit madame de Clèves, que j'ai même beaucoup
de peine à vous l'apprendre. Hélas! madame, répliqua-
t-il, que pouvez-vous craindre qui me flatte trop, après
ce que vous venez de me dire? Je veux vous parler encore avec la même sincérité que j'ai déjà commencé,
reprit-elle, et je vais passer par-dessus toute la retenue

et toutes les délicatesses que je devrois avoir dans une première conversation; mais je vous conjure de m'écouter sans m'interrompre.

Je crois devoir à votre attachement la foible récompense de ne vous cacher aucun de mes sentiments, et de vous les laisser voir tels qu'ils sont. Ce sera apparemment la seule fois de ma vie que je me donnerai la liberté de vous les faire paroître; néanmoins je ne saurois vous avouer sans honte que la certitude de n'être plus aimée de vous, comme je le suis, me paroît un si horrible malheur, que, quand je n'aurois point de raisons de devoir insurmontables, je doute si je pourrois me résoudre à m'exposer à ce malheur. Je sais que vous êtes libre, que je le suis, et que les choses sont d'une sorte que le public n'auroit peut-être pas sujet de vous blâmer, ni moi non plus, quand nous nous engagerions ensemble pour jamais; mais les hommes conservent-ils de la passion dans ces engagements éternels? dois-je espérer un miracle en ma faveur, et puis-je me mettre en état de voir certainement finir cette passion dont je ferois toute ma félicité? Monsieur de Clèves étoit peut-être l'unique homme du monde capable de conserver de l'amour dans le mariage. Ma destinée n'a pas voulu que j'aie pu profiter de ce bonheur; peut-être aussi que sa passion n'auroit subsisté que parce qu'il n'en auroit point trouvé en moi; mais je n'aurois pas le même moyen de conserver la vôtre; je crois même que les obstacles ont fait votre constance; vous en avez assez trouvé pour vous animer à vaincre; et mes actions involontaires, ou les choses que le hasard vous a appris, vous ont donné assez d'espérance pour ne vous pas rebuter. Ah! madame, reprit monsieur de Nemours, je ne saurois garder le silence que vous m'imposez: vous me faites trop d'injustice, et vous me faites trop voir combien vous êtes éloignée d'être prévenue en ma

faveur. J'avoue, répondit-elle, que les passions peuvent
me conduire; mais elles ne sauroient m'aveugler: rien
ne me peut empêcher de connoître que vous êtes né
avec toutes les dispositions pour la galanterie, et toutes
les qualités qui sont propres à y donner des succès
heureux; vous avez déjà eu plusieurs passions, vous en
auriez encore; je ne ferois plus votre bonheur; je
vous verrois pour une autre comme vous auriez été
pour moi: j'aurois une douleur mortelle, et je ne serois
pas même assurée de n'avoir point le malheur de la
jalousie. Je vous en ai trop dit pour vous cacher que
vous me l'avez fait connoître, et que je souffris de si
cruelles peines le soir que la reine me donna cette lettre
de madame de Thémines, que l'on disoit qui s'adressoit
à vous, qu'il m'en est demeuré une idée qui me fait
croire que c'est le plus grand de tous les maux.

Par vanité ou par goût, toutes les femmes souhaitent
de vous attacher; il y en a peu à qui vous ne plaisiez;
mon expérience me feroit croire qu'il n'y en a point à
qui vous ne puissiez plaire. Je vous croirois toujours
amoureux et aimé, et je ne me tromperois pas souvent;
dans cet état, néanmoins, je n'aurois d'autre parti à
prendre que celui de la souffrance; je ne sais même
si j'oserois me plaindre. On fait des reproches à un
amant; mais en fait-on à un mari, quand on n'a qu'à
lui reprocher de n'avoir plus d'amour? Quand je pourrois m'accoutumer à cette sorte de malheur, pourrois-je
m'accoutumer à celui de croire voir toujours monsieur
de Clèves vous accuser de sa mort, me reprocher de
vous avoir aimé, de vous avoir épousé, et me faire sentir
la différence de son attachement au vôtre? Il est impossible, continua-t-elle, de passer par-dessus des raisons
si fortes: il faut que je demeure dans l'état où je suis,
et dans les résolutions que j'ai prises de n'en sortir
jamais. Hé! croyez-vous le pouvoir, madame? s'écria

monsieur de Nemours. Pensez-vous que vos résolutions tiennent contre un homme qui vous adore, et qui est assez heureux pour vous plaire? Il est plus difficile que vous ne pensez, madame, de résister à ce qui nous plaît et à ce qui nous aime. Vous l'avez fait par une vertu austère, qui n'a presque point d'exemple; mais cette vertu ne s'oppose plus à vos sentiments, et j'espère que vous les suivrez malgré vous. Je sais bien qu'il n'y a rien de plus difficile que ce que j'entreprends, répliqua madame de Clèves; je me défie de mes forces au milieu de mes raisons; ce que je crois devoir à la mémoire de monsieur de Clèves seroit foible, s'il n'étoit soutenu par l'intérêt de mon repos; et les raisons de mon repos ont besoin d'être soutenues de celles de mon devoir; mais, quoique je me défie de moi-même, je crois que je ne vaincrai jamais mes scrupules, et je n'espère pas aussi de surmonter l'inclination que j'ai pour vous. Elle me rendra malheureuse, et je me priverai de votre vue, quelque violence qu'il m'en coûte. Je vous conjure, par tout le pouvoir que j'ai sur vous, de ne chercher aucune occasion de me voir. Je suis dans un état qui me fait des crimes de tout ce qui pourroit être permis dans un autre temps, et la seule bienséance interdit tout commerce entre nous. Monsieur de Nemours se jeta à ses pieds, et s'abandonna à tous les divers mouvements dont il étoit agité. Il lui fit voir, et par ses paroles et par ses pleurs, la plus vive et la plus tendre passion dont un cœur ait jamais été touché. Celui de madame de Clèves n'étoit pas insensible; et, regardant ce prince avec des yeux un peu grossis par les larmes: Pourquoi faut-il, s'écria-t-elle, que je vous puisse accuser de la mort de monsieur de Clèves? Que n'ai-je commencé à vous connoître depuis que je suis libre, ou pourquoi ne vous ai-je pas connu devant que d'être engagée? Pourquoi la destinée nous sépare-t-elle par un obstacle invincible? Il n'y a point d'obstacle, madame, reprit monsieur de Nemours; vous seule vous opposez à mon bonheur; vous seule vous vous imposez une loi que la vertu et la raison ne vous sauroient imposer. Il est vrai, répliqua-t-elle, que je sacrifie beaucoup à un devoir qui ne subsiste que dans mon imagination: attendez ce que le temps pourra faire. Monsieur de Clèves ne fait encore que d'expirer, et cet objet funeste est trop proche pour me laisser des vues claires et distinctes; ayez cependant le plaisir de vous être fait aimer d'une personne qui n'auroit rien aimé, si elle ne vous avoit jamais vu: croyez que les sentiments que j'ai pour vous seront éternels, et qu'ils subsisteront également, quoi que je fasse. Adieu, lui dit-elle; voici une conversation qui me fait honte: rendez-en compte à monsieur le vidame; j'y consens, et je vous en prie.

Elle sortit en disant ces paroles, sans que monsieur de Nemours pût la retenir. Elle trouva monsieur le vidame dans la chambre la plus proche. Il la vit si troublée, qu'il n'osa lui parler, et il la remit en son carrosse sans lui rien dire. Il revint trouver monsieur de Nemours, qui étoit si plein de joie, de tristesse, d'étonnement et d'admiration, enfin, de tous les sentiments que peut donner une passion pleine de crainte et d'espérance, qu'il n'avoit pas l'usage de la raison. Le vidame fut longtemps à obtenir qu'il lui rendît compte de sa conversation. Il le fit enfin; et monsieur de Chartres, sans être amoureux, n'eut pas moins d'admiration pour la vertu, l'esprit et le mérite de madame de Clèves, que monsieur de Nemours en avoit lui-même. Ils examinèrent ce que ce prince devoit espérer de sa destinée; et, quelques craintes que son amour lui pût donner, il demeura d'accord avec monsieur le vidame qu'il étoit impossible que madame de Clèves demeurât dans les résolutions où elle étoit. Ils convinrent, néanmoins, qu'il falloit suivre ses ordres, de crainte que, si le public s'apercevoit de l'attachement qu'il avoit pour elle, elle ne fît des déclarations et ne prît des engagements envers le monde, qu'elle soutiendroit dans la suite, par la peur qu'on ne crût qu'elle l'eût aimé du vivant de son mari.

Monsieur de Nemours se détermina à suivre le roi. C'étoit un voyage dont il ne pouvoit aussi bien se dispenser, et il résolut à s'en aller, sans tenter même de revoir madame de Clèves du lieu où il l'avoit vue quelquefois. Il pria monsieur le vidame de lui parler. Que ne lui dit-il point pour lui dire? Quel nombre infini de raisons pour la persuader de vaincre ses scrupules! Enfin, une partie de la nuit étoit passée, devant que monsieur de Nemours songeât à le laisser en repos.

Madame de Clèves n'étoit pas en état d'en trouver: ce lui étoit une chose si nouvelle d'être sortie de cette contrainte qu'elle s'étoit imposée, d'avoir souffert, pour la première fois de sa vie, qu'on lui dît qu'on étoit amoureux d'elle, et d'avoir dit elle-même qu'elle aimoit, qu'elle ne se connoissoit plus. Elle fut étonnée de ce qu'elle avoit fait; elle s'en repentit; elle en eut de la joie; tous ses sentiments étoient pleins de trouble et de passion. Elle examina encore les raisons de son devoir qui s'opposoient à son bonheur: elle sentit de la douleur de les trouver si fortes, et elle se repentit de les avoir si bien montrées à monsieur de Nemours. Quoique la pensée de l'épouser lui fût venue dans l'esprit sitôt qu'elle l'avoit revu dans ce jardin, elle ne lui avoit pas fait la même impression que venoit de faire la conversation qu'elle avoit eue avec lui, et il y avoit des moments où elle avoit de la peine à comprendre qu'elle pût être malheureuse en l'épousant. Elle eût bien voulu se pouvoir dire qu'elle étoit mal fondée, et dans ses scrupules du passé, et dans ses craintes de l'avenir. La raison et son devoir lui montroient dans d'autres moments des choses toutes opposées, qui l'emportoient rapidement à la résolution de ne se point remarier et de ne voir jamais monsieur de Nemours; mais c'étoit une résolution bien violente à établir dans un cœur aussi touché que le sien, et aussi nouvellement abandonné aux charmes de l'amour. Enfin, pour se donner quelque calme, elle pensa qu'il n'étoit point encore nécessaire qu'elle se fît la violence de prendre des résolutions; la bienséance lui donnoit un temps considérable à se déterminer; mais elle résolut de demeurer ferme à n'avoir aucun commerce avec monsieur de Nemours. Le vidame la vint voir, et servit ce prince avec tout l'esprit et l'application imaginable. Il ne la put faire changer sur sa conduite, ni sur celle qu'elle avoit imposée à monsieur de Nemours. Elle lui dit que son dessein étoit de demeurer dans l'état où elle se trouvoit; qu'elle connoissoit que ce dessein étoit difficile à exécuter; mais qu'elle espéroit d'en avoir la force. Elle lui fit si bien voir à quel point elle étoit touchée de l'opinion que monsieur de Nemours avoit causé la mort à son mari, et combien elle étoit persuadée qu'elle feroit une action contre son devoir en l'épousant, que le vidame craignit qu'il ne fût malaisé de lui ôter cette impression. Il ne dit pas à ce prince ce qu'il pensoit; et en lui rendant compte de sa conversation, il lui laissa toute l'espérance que la raison doit donner à un homme qui est aimé.

Ils partirent le lendemain et allèrent joindre le roi. Monsieur le vidame écrivit à madame de Clèves, à la prière de monsieur de Nemours, pour lui parler de ce prince; et, dans une seconde lettre qui suivit bientôt la première, monsieur de Nemours y mit quelque ligne de sa main; mais madame de Clèves, qui ne vouloit pas sortir des règles qu'elle s'étoit imposées, et qui craignoit les accidents qui peuvent arriver par les lettres, manda au vidame qu'elle ne recevroit plus les siennes, s'il continuoit à lui parler de monsieur de Nemours; et elle le lui manda si fortement, que ce prince le pria même de ne le plus nommer.

La cour alla conduire la reine d'Espagne jusqu'en Poitou. Pendant cette absence, madame de Clèves demeura à elle-même, et, à mesure qu'elle étoit éloignée de monsieur de Nemours et de tout ce qui l'en pouvoit faire souvenir, elle rappeloit la mémoire de monsieur de Clèves, qu'elle se faisoit un honneur de conserver. Les raisons qu'elle avoit de ne point épouser monsieur de Nemours lui paroissoient fortes du côté de son devoir, et insurmontables du côté de son repos. La fin de l'amour de ce prince et les maux de la jalousie, qu'elle croyoit infaillibles dans un mariage, lui montroient un malheur certain où elle s'alloit jeter; mais elle voyoit aussi qu'elle entreprenoit une chose impossible, que de résister en présence au plus aimable homme du monde, qu'elle aimoit et dont elle étoit aimée, et de lui résister sur une chose qui ne choquoit ni la vertu, ni la bienséance. Elle jugea que l'absence seule, et l'éloignement, pouvoit lui donner quelque force; elle trouva qu'elle en avoit besoin, non seulement pour soutenir la résolution de ne se pas engager, mais même pour se défendre de voir monsieur de Nemours; et elle résolut de faire un assez long voyage, pour passer tout le temps que la bienséance l'obligeoit à vivre dans la retraite. De grandes terres qu'elle avoit vers les Pyrénées lui parurent le lieu le plus propre qu'elle pût choisir. Elle partit peu de jours avant que la cour revînt; et, en partant, elle écrivit à monsieur le vidame, pour le conjurer que l'on ne songeât point à avoir de ses nouvelles, ni à lui écrire.

Monsieur de Nemours fut affligé de ce voyage, comme un autre l'auroit été de la mort de sa maîtresse. La

pensée d'être privé pour longtemps de la vue de madame de Clèves lui étoit une douleur sensible, et surtout dans un temps où il avoit senti le plaisir de la
voir, et de la voir touchée de sa passion. Cependant il
ne pouvoit faire autre chose que s'affliger; mais son
affliction augmenta considérablement. Madame de Clèves,
dont l'esprit avoit été si agité, tomba dans une maladie
violente, sitôt qu'elle fut arrivée chez elle. Cette nouvelle vint à la cour. Monsieur de Nemours étoit inconsolable; sa douleur alloit au désespoir et à l'extravagance. Le vidame eut beaucoup de peine à l'empêcher de
faire voir sa passion au public; il en eut beaucoup aussi
à le retenir, et à lui ôter le dessein d'aller lui-même
apprendre de ses nouvelles. La parenté et l'amitié de
monsieur le vidame fut un prétexte à y envoyer plusieurs courriers; on sut, enfin, qu'elle étoit hors de cet
extrême péril où elle avoit été; mais elle demeura dans
une maladie de langueur, qui ne laissoit guère d'espérance de sa vie.

Cette vue si longue et si prochaine de la mort fit
paroître à madame de Clèves les choses de cette vie de
cet œil si différent dont on les voit dans la santé. La
nécessité de mourir, dont elle se voyoit si proche, l'ac-
coutuma à se détacher de toutes choses, et la longueur
de sa maladie lui en fit une habitude. Lorsqu'elle revint
de cet état, elle trouva néanmoins que monsieur de
Nemours n'étoit pas effacé de son cœur; mais elle appela à son secours, pour se défendre contre lui, toutes
les raisons qu'elle croyoit avoir pour ne l'épouser jamais. Il se passa un assez grand combat en elle-même.
Enfin, elle surmonta les restes de cette passion qui étoit
affoiblie par les sentiments que sa maladie lui avoit
donnés: les pensées de la mort lui avoient reproché la
mémoire de monsieur de Clèves. Ce souvenir, qui s'ac-
cordoit avec son devoir, s'imprima fortement dans son

cœur. Les passions et les engagements du monde lui
parurent tels qu'ils paroissent aux personnes qui ont des
vues plus grandes et plus éloignées. Sa santé, qui demeura considérablement affoiblie, lui aida à conserver
ces sentiments; mais, comme elle connoissoit ce que peuvent les occasions sur les résolutions les plus sages, elle
ne voulut pas s'exposer à détruire les siennes, ni revenir
dans les lieux où étoit ce qu'elle avoit aimé. Elle se
retira, sur le prétexte de changer d'air, dans une maison
religieuse, sans faire paroître un dessein arrêté de renoncer à la cour.

À la première nouvelle qu'en eut monsieur de Nemours, il sentit le poids de cette retraite, et il en vit
l'importance. Il crut, dans ce moment, qu'il n'avoit plus
rien à espérer; la perte de ses espérances ne l'empêcha
pas de mettre tout en usage pour faire revenir madame
de Clèves. Il fit écrire la reine, il fit écrire le vidame,
il l'y fit aller; mais tout fut inutile. Le vidame la vit:
elle ne lui dit point qu'elle eût prit de résolution. Il
jugea néanmoins qu'elle ne reviendroit jamais. Enfin,
monsieur de Nemours y alla lui-même, sur le prétexte
d'aller à des bains. Elle fut extrêmement troublée et
surprise d'apprendre sa venue. Elle lui fit dire, par une
personne de mérite qu'elle aimoit et qu'elle avoit alors
auprès d'elle, qu'elle le prioit de ne pas trouver étrange
si elle ne s'exposoit point au péril de le voir, et de
détruire, par sa présence, des sentiments qu'elle devoit
conserver; qu'elle vouloit bien qu'il sût qu'ayant trouvé
que son devoir et son repos s'opposoient au penchant
qu'elle avoit d'être à lui, les autres choses du monde lui
avoient paru si indifférentes, qu'elle y avoit renoncé pour
jamais; qu'elle ne pensoit plus qu'à celles de l'autre vie,
et qu'il ne lui restoit aucun sentiment que le désir de le
voir dans les mêmes dispositions où elle étoit.

Monsieur de Nemours pensa expirer de douleur en

présence de celle qui lui parloit. Il la pria vingt fois
de retourner à madame de Clèves, afin de faire en sorte
qu'il la vît; mais cette personne lui dit que madame de
Clèves lui avoit non seulement défendu de lui aller redire aucune chose de sa part, mais même de lui rendre
compte de leur conversation. Il fallut, enfin, que ce
prince repartît, aussi accablé de douleur que le pouvoit
être un homme qui perdoit toutes sortes d'espérances
de revoir jamais une personne qu'il aimoit d'une passion
la plus violente, la plus naturelle et la mieux fondée qui
ait jamais été. Néanmoins il ne se rebuta point encore,
et il fit tout ce qu'il put imaginer de capable de la faire
changer de dessein. Enfin, des années entières s'étant
passées, le temps et l'absence ralentirent sa douleur et
éteignirent sa passion. Madame de Clèves vécut d'une
sorte qui ne laissa pas d'apparence qu'elle pût jamais
revenir. Elle passoit une partie de l'année dans cette
maison religieuse, et l'autre chez elle; mais dans une
retraite et dans des occupations plus saintes que celles
des couvents les plus austères; et sa vie, qui fut assez
courte, laissa des exemples de vertu inimitables.

NOTES

The text is that of the first edition (1678). The spelling and punctuation have been modernized though the verb-endings in *-oit* have been retained. Mme. de La Fayette did not arrange her book in chapters. The printer appears to have divided the manuscript into four equal parts without caring where the divisions came in the development of the story.

PART ONE

Page 3. **La galanterie.** Hommages et devoirs rendus aux dames—a wider sense than the word now has.

Henri second, 1519-1559, son of Francis I and Claude de France.

Madame de Valentinois. Diane de Poitiers, Duchess of Valentinois, 1499-1566, married Louis de Brézé, Count Maulevrier, who died in 1531. By this marriage she had two daughters. One married Robert de la Marck, Duke of Bouillon; the other, Claude de Lorraine, Duke of Aumale.

Le dauphin qui mourut à Toulon. In 1536.

La reine. Catherine de Medici, 1519-1589.

4 **Madame Elisabeth de France.** Later Mme. de La F. distinguishes between the two persons who bore the title of *Madame* by using *Madame* alone for Elizabeth of France, daughter of Henry II and Catherine de Medici. She refers to Marguerite of France as *Madame, sœur du roi.* Madame Elizabeth was betrothed to Don Carlos of Spain, eldest son of Philip II. The latter, free to marry again, after the death of Mary, Queen of England, took Elizabeth for himself. The mention of her fatal beauty is a reference to the legend that she continued to love Don Carlos and was discovered by Philip II, who had both the lovers put to death. There is no historical foundation for this story.

M. le dauphin. Francis, 1544-1560, married Mary Stuart in 1558 and became King of France (Francis II) in the following year. Mary's uncles, the Guises, governed, because Francis was ill and incapable. He died in December, 1560.

5. **Le roi de Navarre.** Antoine de Bourbon, King of Navarre by his wife Jeanne d'Albret. His son was Henry IV, King of France.

Le duc de Guise. François de Lorraine, second Duke of Guise, 1519-1563.

Heureux succès. *Succès* still had the sense of *result*—good or bad, though it was already understood to mean *success* when it was unqualified by an adjective.

Le cardinal de Lorraine. Charles, second son of Claude of Guise, 1524-1574.

Considérable. Digne de considération. *Cf.* Mme. de Sévigné, Lettre du 19 mai, 1677; "Monsieur le Dauphin devient tous les jours plus considérable."

Le grand prieur. Grand Prieur de l'ordre de Malte, François de Lorraine, 1537-1562.

Le prince de Condé. Louis I de Bourbon, Prince of Condé, was deformed.

Trois fils. Nevers had three sons. It is the second son Jacques whom Mme. de La F. makes Prince of Clèves. He died on Sept. 6, 1564, in the reign of Charles IX. She has him die in 1560, in the reign of Francis II.

6. **Eût pu lui être comparable.** In the XVIIth century the pronoun object came before the auxiliary, *e.g.,* il se faut entr'aider—instead of between the auxiliary and the infinitive—il faut s'entr'aider.

Duc de Nemours. Jacques de Savoie, Duke of Nemours, 1531-1585, came up to the court of Francis I at the age of fifteen. He served with distinction in the war against Charles V and was present at the Siege of Metz (see p. 148). He was one of the champions of the tournament in which Henry II was killed (see p. 78), and married Anne d'Este, widow of the Duke of Guise. Brantôme speaks very highly of his courage, charm and wit and credits him with great success with the ladies. Mme. de La F. has been very kind to him in this novel. He was an unscrupulous betrayer of women, broke his pledged word to Françoise de Rohan, seduced her and abandoned her in her shame. Both Le Laboureur and Brantôme give this side of his character. Mme. de La F. could not use this information but a careful reading of the novel shows that Nemours is not so completely idealized as he appears to be at first sight, and the final impression of him is unfavorable.

MM. de Guise. The Duke of Guise and Cardinal de Lorraine.

7. **Connétable de Montmorency.** Anne, Duke of Montmorency, 1492-1567, made Lord High Constable for

his military services in the reign of Francis I.

Le maréchal de Saint-André. Jacques d'Albon—soldier, ardent Catholic and a princely spender, acording to Brantôme. He was killed at the Battle of Dreux in 1562.

8. **Amoureux de la reine dauphine.** Mme. de La F. brings into the reign of Henry II a love affair that is noted by Le Laboureur during the widowhood of the Dauphiness. Henri d'Anville married Antoinette de la Marck.

Dans un âge où l'on. . . . A un âge où l'on n'est pas encore accoutumé à prétendre.

Heureux succès. See note 3 to page 5.

Le malheur de Saint-Quentin. The combined Spanish and English forces defeated the French at Saint-Quentin on July 29, 1557.

La bataille de Renty. Charles V was also there in person. Renty is in the Pas-de-Calais, near Saint-Ouen.

Les Anglois . . . chassés de France. The Duke of Guise drove the English from Calais in 1558.

9. **La ville de Metz.** Besieged by Charles V in 1552. Defended by the Duke of Guise, who held out for two months and until the Imperial troops abandoned the siege.

Insensiblement. Peu à peu.

Le duc d'Albe. Ferdinand of Toledo, Duke of Alva, 1501-1582. He commanded the Imperial forces at Metz against the Duke of Guise. He reappears in the story as proxy for Philip II at the marriage of Elizabeth of France.

Le prince d'Orange. William of Nassau, Prince of Orange, 1533-1584.

M. de Savoie. Emmanuel Philibert, Duke of Savoy, 1528-1580.

Prétendre. "Aspirer à quelque chose, avoir espérance de l'obtenir." Furetière, *Dict. Univ.*, 1690.

10. **Je la supplie.** La, *i.e.*, Votre Majesté (fem.).

Succès. See note 3 to page 5.

Me justifie vers. . . . Me justifie envers le public.

Lignerolles. Philibert de Lignerolles. Brantôme describes him as "one of the gallants of the court, highly accomplished in arms and in speech, for he was full of knowledge and had a great and noble courage."

Evénement. Result. *Cf.*, Racine, *Bajazet*, L., 1377: "Ah! de tant de conseils événement sinistre!"

Donna de l'admiration. Mme. de La F. has already

used *donner* to replace various verbs. In the XVIIth century *donner* served to express—in addition to its present meaning—*abandonner, sacrifier, inspirer, prêter, lancer, s'élancer,* etc., according to the noun that followed it.

Elle étoit de la même maison. Mlle. de Chartres— the future Princess of Clèves—never existed, but Mme. de La F. connects her very cleverly with the Chartres family. The Vidame de Chartres was an historic personage. The hereditary title of Vidame was originally held by a noble layman whose duty it was to defend ecclesiastical property.

11. **L'éducation de sa fille.** The preventive education practised by Mme. de Chartres was very rare at this time. There is no question of religious training here and no mention of divine aid elsewhere in the novel. Mme. de La F. wished to work out her psychological study as a struggle between love and duty—with no possible help from without.

Engagements. *Engagement* was a new word in 1678. It meant *liaison d'ordre sentimental*—here of course to a person other than the husband.

Honnête femme. *Honnête* in the sense of *honorable: qui mérite de l'estime.*

Glorieuse. One of the meanings of *gloire* was *désir de considération, fierté, vanité.*

Il fut surpris de la grande beauté. . . . Mlle. de Chartres is very soberly described and we are given no further details as the story proceeds. She was beautiful and blond—that is all we ever learn about her physical charms, the real interest being her character.

12. **Le lendemain qu'elle fut arrivée.** Le lendemain du jour où . . .

La civilité. Les simples convenances—ordinary politeness.

Tout ce qui étoit à sa suite. Par les personnes qui composaient sa suite.

D'une grande qualité. Naissance.

Madame, sœur du roi. Marguerite de France, 1525-1574, daughter of Francis I. See note 1 to page 4.

13. **Quoiqu'elle eût désiré . . . de se marier.** The *de* would now be omitted.

L'entrevue du roi . . . et du pape. In 1538. The Pope was mediator between Francis I and Charles V.

Son aventure. *"Aventure se dit d'une bonne chance,*

d'une heureuse rencontre." *Dict. Acad.,* 1694. See also note 1 to page 89.

Elle fut reçue des reines. Catherine de Medici and Mary, Queen of Scots, the Dauphiness.

14. **L'étonnement qu'elle avoit donné.** See note 6 to page 10.

15. **L'aîné de sa maison.** See note 8 to page 5.

Si proche de la maison royale. François II de Clèves married Anne de Bourbon, daughter of Louis II de Bourbon, Duke of Montpensier—prince of royal blood—but in September, 1561. Mme. de La F. knew this (Anselme, *Hist.* 1, 307). For her treatment of history see Introduction.

16. **Le reine de Navarre.** Jeanne d'Albret.

17. **Le peu de bien.** The plural *biens* would now be used. In the XVIIth century the singular was used for *riches,* the plural frequently, for *services, good actions.* Cf.

> "Le bien . . . est de nulle considération devant Dieu." Pascal.
>
> "Il nous donne ses lois, il se donne lui-même;
> Pour tant de biens, Dieu commande qu'on l'aime." Racine.

18. **Le duc de Nevers.** See page 5.

La reine dauphine. See note 2 to page 4.

19. **Cette malheureuse passion.** Châtelart fell madly in love with Mary Stuart, hid in her room on two occasions, was discovered each time and finally executed for his audacity. As usual, Mme. de La F. suppresses the details.

Traversé. "Empêcher de faire quelque chose en suscitant des obstacles." *Dict. Acad.,* 1694.

20. **Déplaisir.** Sense very strong in the XVIIth century —*despair, acute grief.* "Ce père a eu le déplaisir de voir mourir tous ses enfants avant lui." Furetière, *Dict.,* 1690.

Pas aussi. *Aussi* could be used after a negative where we should now use *non plus.*

21. **La mort du duc de Nevers.** Mme. de La F. has the Duke of Nevers die three years before his time.

Quasi. "Tous les Messieurs faiseurs de remarques et d'observations sur notre langue ont décidé que le mot de *quasi* étoit fort peu en usage, et qu'en sa place on disoit *presque.* Il est vrai que les bons auteurs usent ordinairement de la sorte, néanmoins il semble que d'excellents Esprits aient eu depuis peu pitié du destin du pauvre *quasi* et qu'ils le

veulent faire revivre malgré sa destinée. Car ils
l'ont employé assez fréquemment dans un livre de
réputation qui a pour titre *La Princesse de Clèves*
et l'on trouve qu'ils ont raison et que *quasi* vient
mieux en de certaines façons de parler que *presque.*"
Richelet, *Dict.* Richelet thought, as did many of his
contemporaries, that *La Princesse de Clèves* was
the work of several collaborators.

Ce qui troubloit sa joie. Mme. de La F. stresses
the fact that this was not an "arranged" marriage
but that the Prince of Clèves really loved. She notes
as carefully that Mlle. de Chartres was not in love,
did not know what love was until the day when
her feelings for M. de Nemours suddenly revealed
it to her. Mlle. de Chartres "n'obéissait que par
devoir aux volontés de madame sa mère."

22. **Elle étoit plutôt fondée.** Elle: celle-ci. See note 1 to
page 63.

Elle rendit compte à sa mère . . . As her mother
had asked her to do (see p. 17). Mlle. de Chartres
continues to do this (see p. 24) until the Duke
of Nemours gives rise to different feelings in her
heart. Then she intends to tell her mother—but does
not do so (see p. 37).

Elle n'avoit aucune inclination. In short she did
not love him.

23. **Les articles.** The *articles* of the marriage contract.
Ne passoient pas ceux de l'estime. "*Passer:* dé-
passer; aller au delà." *Dict. Acad.,* 1694.
Ni de plaisir ni de trouble. Nowadays—*ni plaisir,
ni trouble.*

24. **Mme. de Chartres admiroit.** *Admirer* retains, in
the XVIIth century, the sense of the Latin *ad-
mirari*—to look upon with astonishment. *Cf.* "J'admire, encore un coup, cette faiblesse étrange." Molière.

26. **Le mariage du duc de Lorraine.** Charles III, son
of François I, Duke of Lorraine and of Christina
of Denmark, married Claude, daughter of Henry
II, 1559.
Insensiblement. See note 2 to page 9.

27. **Un homme qu'elle crut d'abord.** D'abord: immédiatement.

28. **Etoit à ses pieds.** Figuratively, of course. He was
completely enthralled.

29. **Jouer à la paume.** This is the original tennis, played
with a hard ball in a covered court.
Courre la bague. *Courre* is an old form of the

infinitive that persisted for a long time in the expressions: *courre la bague,* to tilt at the ring, and *courre le cerf,* to hunt the stag. Tilting at the ring was a game of skill. The player galloped past a post from which the ring was suspended. He had to run his lance through the ring and carry it off.

Il n'avoit accoutumé. The modern expressions are: *il n'était pas accoutumé;* or *il n'avait coutume.*

La duchesse de Valentinois. *La Princesse de Clèves,* short as it is, follows the rules of composition of the many-volumed XVIIth century novel (see Introduction). It contains four secondary stories or episodes—the story of Diane de Poitiers which begins here, the story of Mme. de Tournon, told by the Prince of Clèves, the story of Anne Boleyn, told by the Dauphiness, and the story of the Vidame de Chartres, told by himself. Valincour, a contemporary critic, pointed out, immediately after the appearance of the novel, how artificial and unnecessary was this long digression on Diane de Poitiers. While we find it superfluous, Mme. de La F. evidently lavished much care upon it and took great pains in collecting the necessary historical material.

Qui avoit été maîtresse de son père. Francis I, 1494-1547, married Claude, daughter of Louis XII, and succeeded in 1515.

30. **On auroit de la peine à s'empêcher de louer ce prince.** Mme. de La F. is writing for monarchists and her loyalty overcomes her morality. It should not be forgotten, however, that she had a sister-in-law who possessed all the qualities she mentions, who had been tenderly loved by Louis XIII and who was actually in a convent as a result of court intrigues against her.

Elles aiment à conter des histoires de leur temps. Mme. de La F. seems to have doubts as to the necessity of this digression.

Pendant sa prison. After the battle of Saint-Quentin. He was released on parole.

31. **L'affaire du connétable de Bourbon.** Charles II de Bourbon intrigued with Charles V of Spain to have several French provinces rebel. The plot was discovered and the Connétable de Bourbon fled, 1523.

Je ne sais par quels moyens. There is no ground for Mme. de La F.'s insinuation—that is a crude statement in Brantôme.

Le voyage d'Italie. Francis I besieged Pavia in 1525 and was taken prisoner while attacking the fortress. He was held a prisoner in Spain until 1526.

Le roi devint amoureux. Diane de Poitiers was married on March 29, 1515. The meeting at Bayonne was in March, 1526.

33. **Le conseil de son fils.** *Conseil* meaning *determination,* not merely *advice.*

Les dix-sept provinces. The seventeen provinces were the Netherlands. They fell into Spanish-Hapsburg hands through the Valois house of Burgundy. In 1568 they revolted, the seven northern provinces federated, 1579, but were not recognized as independent both of Spain and of the Empire until 1648.

Dans les sentiments de M. le dauphin. *Sentiment:* opinion. *Cf.* "Elle a le même sentiment que nous des jolis vers que nous lui avons montrés." Mme. de Sévigné, 4 mai, 1686.

34. **Le roi ne survécut guère le prince.** Nowadays—Le roi ne survécut guère *au* prince.

L'amiral d'Annebault. Claude d'Annebaut, Baron de Retz, Marshal and Admiral of France.

35. **Qu'il ne paroissoit.** Qu'il ne le paraissait.

Le cardinal de Tournon. François de Tournon, 1489-1562.

Le chancelier Olivier. François Olivier, 1497-1560, Chancellor of France. The seals were taken from him in 1551 and returned to him in 1559. See page 141.

Villeroy. Nicolas I de Neufville (see Moreri, *Dict.*). M. Lemonnier mentions M. de Villeroy as one of the persons included in Henry II's new council (Lavisse, *Hist. de Fr.,* V, 125), and does not mention him with Olivier and Tournon as being dismissed at the instigation of Mme. de Valentinois (*ibid.,* pp. 133-4).

Le comte de Brissac. Charles I, eldest son of René, first Seigneur de Brissac, was an excellent soldier and a clever diplomat. He took Havre from the English in 1563.

36. **La passion . . . fut d'abord si violente.** D'abord: *immédiatement, tout de suite.*

Des commerces. *Commerce:* échange de relations, rapports suivis, fréquentation, correspondance.

Son impatience pour le voyage d'Angleterre. Mme. de La F. attributes M. de Nemours' loss of in-

terest in Elizabeth of England to his love for
Mme. de Clèves, thus cleverly fusing history and
romance. Brantôme merely says that "peut-être
d'autres amours" caused the change in Nemours.

37. **Ses autres amants.** *Amant* still has, in the XVIIth
century, the meaning "qui aime d'amour une personne d'un autre sexe et désire en être aimé," *i.e.*,
lover—with none of the present-day derogatory
meaning. *Maîtresse* is similarly used.

Elle ne lui en parla point. See note 2 to page 22.

Sa magnificence. See page 8.

38. **Elle fit dire qu'on ne la voyoit point.** She was
not to be seen—not at home to visitors.

L'on dispute contre M. de Nemours. A type of discussion that was very frequent in the *salons* of the
précieux in the XVIIth century.

Ou qu'ils ne le soient pas. The present form would
be *soit qu'ils soient aimés, soit qu'ils ne le soient pas,*
but the sentence is sufficiently cacophonous without
the additional *soit*.

39. **Qu'alors que.** C'est lorsque.

Faire l'honneur de. Faire les honneurs.

40. **Particulière.** Singular, extraordinaire. *Cf.* "Je vais
vous apprendre une avanture fort particulière," *Dict.
Acad.*, 1694.

41. **Trouver de l'apparence.** Vraisemblance, probabil-
ité. *Cf.* "Ce soupçon n'est pas sans apparence,"
Corneille, *Polyeucte*, L, 1041.

L'assemblée de Cercamp. Cercamp is a hamlet
in the Pas-de-Calais where the *pourparlers* were
held (see page 9). Cateau-Cambrésis is near
Cambrai.

42. **Vous traitant comme elle fait.** Exactly equivalent
to the English use of *to do*, to replace a verb just
used. Infrequent in modern French.

Si ce bruit continue. *Bruit* is still used in this
sense, *e.g.*, Le bruit court . . .: There is a ru-
mour. . . .

N'avoit jamais ouï parler. *I.e.*, she had never heard
their names together.

Elle en changea de visage. A short time ago she
wished Nemours to know that she had done some-
thing to please him—yet she was annoyed at the
thought that he might know this. Now her love has
so far progressed that her feelings cannot be
hidden.

43. **Les sentiments qu'elle avoit pour lui.** Mme. de
Clèves discovers what love is. Previously it had been

"au-dessus de ses connaissances" (see page 24).
Her first impulse is to be frank with her mother.

L'après-dinée. Dinner was at noon in the XVIIth century.

Devant que d'y aller. Avant d'y aller.

44. **Comme les autres dames s'éloignèrent.** *Comme:* lorsque. *Cf.*

> "Mais comme il s'est vu seul contre trois adversaires
>   Près d'être enfermé d'eux, sa fuite l'a sauvé."
>   Corneille, *Horace*, L. 1004.

45. **Madame de Chartres empira.** L'état de Mme. de Chartres s'aggrava.

46. **Songez ce que vous devez à votre mari.** *Songer* is transitive in the XVIIth century in the sense *keep in mind, think carefully of.*

Pour n'en être pas le témoin. In spite of her piety, to which reference has just been made, Mme. de Chartres makes no appeal to religion (see note to page 11). The speech has an exordium and two parts—just as Racine's speeches have. There is no bombast—all is sober, simple and natural. The closing sentences have a harmony rare in the style of Mme. de La F.; there are even some blank verses. The speech has been carefully composed and the firmness and pathos are very effective.

47. **La manière dont M. de Clèves en usoit pour elle.** *En user:* se conduire, se comporter.

> "Il m'écoute, et dans tout il en use, ma foi,
>   Le plus honnêtement du monde avecque moi."
>   Molière, *Misanthrope*, L. 291.

Plus d'amitié. *"Amitié:* affection qu'on a pour quelqu'un." Furetière, *Dict.*, 1690. "Je voue à votre fils une amitié de père." Racine, *Andromaque*, L. 1509.

Elle avoit fait une forte résolution. Elle avait pris une forte résolution.

Pour faire sa cour. To the King—of course.

48. **C'étoit une des personnes . . . qui me plaisoit.** For the agreement of the verbs see Haase, *Syn. fr.* § 64 B.

Le comte de Sancerre. Jean de Brueil, Count de Sancerre, is mentioned by Brantôme, as is Estouteville, but the entire episode appears to be an invention of Mme. de La F.'s. It is more closely connected with the story than was the preceding episode of Diane de Poitiers.

Part Two

52. **Je me souvins de lui avoir ouï . . . louer.** In Mme.
de La F.'s time *ouïr* was already falling into disuse.
According to the Dictionary of the Academy, 1694,
it was only used in the infinitive, the preterit and
in compound tenses. Efforts were made to keep
both *ouïr* and *entendre* with slightly different meanings but the former gradually disappeared.

    Prétendre un aussi bon parti. We should now write
prétendre à un aussi bon parti. In the XVIIth century *prétendre* was a transitive verb. *Cf.* "C'est
inutilement qu'il prétend Done Elvire." Molière, *Don
Garcie de Navarre*, L. 140.

    Que je le fus. Nowadays—*que je fus.*

53. **Une conduite si honnête.** De Callières notes towards
the end of the century that *honnête* had taken the
place of *affable.*

54. **Je quitterois le personnage d'amant.** Mme. de La
F. begins here the preparation for the confession,
pp. 111-112.

    On me manda. *Mander:* "faire savoir, ou par let-
tre, ou par messager." *Dict. Acad.*, 1694.

55. **Je ne la verrai plus.** Je ne la reverrai plus.

56. **Et la vie.** Et la vie aussi.

    La plus tendre amour. *Amour,* feminine in Old
French, was held to be masculine by the gramma-
rians of the XVIth century because of its etymology
(Lat. *amor,* m.), but in current use it was feminine.
In the XVIIth century there was much hesitation;
towards the end of the period *amour* was generally
considered to be masculine and the Dictionary of the
Academy, 1718, made this the rule.

    Son idée est dans mon cœur. *Idée:* image. *Cf.* Cor-
neille, *Rodogune,* L. 1641.

    > "Rempli de votre *idée,* il m'adresse pour vous
    > Ces mots où l'amitié règne sur le courroux."

    Idée has also the meaning: *image idéale, type
parfait:*

    > "Vous êtes mon *idée* plus que jamais." Sév.,
    > 29 oct., 1692.

    Devant sa mort. *Devant* is used where *avant* would
now be used as an adverb of time:

    > "On le faisait lever devant l'aurore." La Fon-
    > taine, *Fab.* VI, 11.

59. **Plus surprise que je le suis.** Plus surprise que je
suis.

61. **Courtenay.** Edward de Courtenay, Earl of Devonshire, Marquis of Exeter, was thought, at one time, to be plotting to obtain the hand of Elizabeth, with whom he was very popular and he was thereupon imprisoned.

62. **Méconnoître M. de Nemours.** *"Méconnoître:* Mal connaître, ne pas reconnaître. . . . Je vous jure que je vous méconnois avec l'habit que vous avez." Richelet, *Dict.*

    Quel poison. *Poison.* "Ce mot se dit quelquefois en bonne part et surtout en parlant d'amour et de choses qu'on aime et il signifie *appas, charme, enchantement.*" Richelet, *Dict.*

63. **S'il étoit véritable.** Si *cela* était véritable. In the XVIIth century *il* was still used where a demonstrative pronoun is now required.

    N'a voulu passer aucun article. Laisser passer, concéder, accorder.

    Qui s'attendoit d'épouser. S'attendait à épouser. For the history, see note 1 to page 4.

    Je ne sais si le roi en elle trouvera. *I.e.,* Je ne sais si le roi trouvera en elle toute l'obéissance, etc.

64. **M. de Savoie.** Emmanuel Philibert, Duke of Savoy, 1528-1580.

    Jamais personne de l'âge de cette princesse. She was thirty-four years of age at this time.

    Les dernières visites en sortoient. The French still use *visite* for *personne qu'on reçoit en visite* (Littré).

    Cette princesse étoit sur son lit. This was, of course, still the way to receive formal visits in Mme. de La F.'s time.

    Il faisoit chaud. In March? The peace of Cateau-Cambrésis was signed on April 3.

    Ils gardèrent assez longtemps le silence. Mme. de La F. recognizes the psychological importance of what is sometimes called "mute language"—glances, silences, blushes. In *La Comtesse de Tende* she writes: "Il y eut un trouble et un silence entre eux plus parlant que les paroles."

    Des compliments sur son affliction. *Compliment.* "Paroles de civilité adressées à quelqu'un . . . au sujet d'un événement heureux *ou malheureux.*"

65. **L'on ne veut être aimé de personne.** The *déclaration* of his love is cleverly veiled but it is a *déclaration* nevertheless.

    L'on voudroit qu'elles sussent, etc. This style would now be intolerably heavy: XVIIth century taste tolerated such use of *qui* and *que*. See note 1 to page 176.

Que l'on ne regardât. The force of this and the following subjunctive is the same as the conditional.

Et ne les pas souffrir. *Souffrir:* supporter patiemment, sans révolte, tolérer.

66. **Son silence.** Mme. de La F. notes throughout the importance of silence. See note 6 to page 64.

En liberté de rêver. *Rêver:* penser, méditer profondément sur quelque chose," *Dict. Acad.,* 1694. *Cf.* Molière, *Fâcheux,* Avert.: "Dans le peu de temps qui me fut donné il m'étoit impossible . . . de rêver beaucoup sur le choix de mes personnages et sur la disposition de mon sujet."

Elle connut bien . . . *Connaître:* prendre conscience, s'apercevoir, se rendre compte. *Cf.* "Le meunier à ces mots connaît son ignorance." La Fontaine, *Fab.* III, 1.

Elle ne se flatta plus . . . These two sentences mark a definite progress in the story.

67. **De lui faire entendre.** Comprendre.

68. **Qu'une femme de son âge ne pouvoit soutenir.** According to Père Bouhours the word *soutenir* was one of the most popular words of the day, 1671, and the widest in meaning. (*Entretiens d'Ariste et d'Eugène.*)

Qui avoit naturellement beaucoup de douceur. *Naturellement*—as a result of his disposition and of his love for her.

Elle sentit aussi de la honte. Preparation for the confession. Immediately the interest is suspended to bring in historical material.

D'Escars. Jean d'Escars, favorite of Henry II.

69. **Je serois tué en duel.** See page 138.

Il seroit tué par derrière. Guise was killed, at the siege of Orleans, by a pistol shot fired by a fanatical Huguenot.

Vous pouvez juger Madame. The anecdote is necessary to enhance the interest of the description of the King's death (see page 138). M. de Nemours's remark serves to attach the anecdote to the main story.

70. **Qu'il ne connût pas.** *Connaître:* reconnaître; distinguer à ses signes habituels.

71. **Courses de bague.** See note 2 to page 29.

Combats à la barrière. *Barrière:* palissade qui, dans les tournois, coupait la lice en deux et que les combattants se disputaient.

Les divertissements où. Les divertissements dont. **Si elle eût suivi ses mouvements.** *Mouvements:* "Se dit aussi des différentes impulsions, passions ou affections de l'âme." *Dict. Acad.*, 1694.

Elle ne put s'empêcher de dire. A further progress. Mme. de Clèves is jealous—without knowing it.

Anne de Boulen. Here begins the second episode of the novel. See note 4 to page 29.

72. **Dont vous avez vu les contes.** Marguerite d'Angoulême, sister of Francis I ("le feu roi"), wife of Henri d'Albret, king of Navarre. "Dont vous avez vu les contes," is added by Mme. de La F. to the "source" she was following.

73. **De velours blanc brodé d'or.** When following historical sources Mme. de La F. invariably omits unnecessary details—but she is a woman and descriptions of ceremonies and of dress are so tempting that she cannot resist.

La vicomtesse de Rochefort. Lady Rochford, sister-in-law to Katharine Howard's cousin, and predecessor, Anne Boleyn, was executed at the same time as Katharine Howard. It was Cranmer, however, who denounced Katharine.

74. **Jeanne Seimer.** Jeanne Seimer is Jane Seymour. Similarly Mme. de La F. writes Rochefort for Rochford, Volsey for Wolsey, Catherine Havart for Katharine Howard.

Des portraits en petit. That is: miniatures.

La reine sa mère. Marie de Lorraine, Queen of Scotland.

L'après dinée. See note 2 to page 43.

Quand il ne l'auroit pas été. *Quand* followed by the conditional tense: *even if* . . .

Son sentiment. See note 3 to page 33.

75. **Quasi.** See note 2 to page 21.

76. **Il se retira apres ces paroles.** M. de Nemours's boldness increases and Mme. de Clèves is guilty of another concession.

Elle fit réflexion. Elle réfléchit.

77. **Il lui sembla qu'elle lui devoit avouer.** . . . Further preparation for the confession.

Quel parti prendre. The interest is again suspended but this time the history and the novel are more closely knit.

La paix était signée. At Cateau-Cambrésis, April, 1559.

Le duc d'Albe. See note 3 to page 9.

Le duc de Savoie. See note 5 to page 9.

Ces divertissements trop particuliers. That is: for a few people only.

78. **Le duc de Ferrare.** Alphonse II d'Este, Duke of Ferrara, Henry II's cousin.

Les quatre tenants. The champions who *hold* the field against all who accept their challenge.

En double pièce. The protective armour for the breast might be worn double.

Le château des Tournelles. The Palace of Tournelles had become a royal residence in place of the Hôtel Saint-Paul. The Palace, surrounded by a wall protected by *tourelles* (turrets) was situated in the Rue Saint-Antoine near the Bastille. Catherine de Médici abandoned the Palace after the tragic death of Henry II (see page 138) and Charles IX in 1563 ordered it to be demolished. The present Place des Vosges is on part of the site.

79. **Par la crainte.** Dans la crainte.

Qu'un homme moins intéressé. Qui y avait moins d'intérêt.

Le roi lui ordonna de s'aller reposer. An incident of this kind came twice within Mme. de La F.'s personal experience.

81. **Quand la mort l'ôta du monde.** Mme. de La F. well knew that death did not interfere with his plan of taking Rhodes. Brantôme states that he died of pleurisy after the battle of Dreux. Guise led an expedition to Rhodes and later accompanied Mary Queen of Scots to Scotland in 1561.

Ce lui étoit . . . C'était pour elle . . .

Elle en avoit aussi beaucoup. . . . *I.e.,* de douleur.

82. **Si vous ne la pouvez lire présentement. . . .** At once, at the present time.

Et la laissa si étonnée. *Etonnée* was much stronger then than now. It really meant *thunder-struck*.

Lettre. The Vidame de Chartres described this letter (page 86) as: une lettre "plus jolie que toutes celles qui avoient jamais été écrites." In fact it is a model of *précieux* style.

85. **M. de Nemours avoit une galanterie.** *I.e.,* a love affair.

Combien se repentit-elle. . . . Further preparation for the confession.

86. **Un sentiment d'orgueil et de vanité.** See note 2 to page 6 on M. de Nemours. Mme. de Clèves never loses sight of this weakness in the character of M. de Nemours and in the final scene with him she gives,

for her refusal to marry him, two reasons—of which this is one.

Il en liroit quelques endroits. *Endroit:* partie, passage d'un ouvrage. *Cf.* "Vous verrez notés en marge tous les endroits qu'il a pillés." Molière, *Fem. Sav.,* Act iv, Sc. iv, Letter.

87. **La reine avoit témoigné beaucoup de curiosité.** The reason for the Queen's interest is given on page 91.

Qui achevèrent de lui donner un grand trouble. See note 6 to page 10.

88. **Je viens vous confier la plus importante affaire.** The whole episode of the letter is complicated and unlikely. Châtelart acts strangely in giving a letter he has found to someone other than the owner. Everyone who obtains possession of it reads it instead of returning it. No one mentions it to Nemours or to Chartres. Valincour finds fault with the episode and he does so with reason. It was introduced by Mme. de La F. to permit her to describe the jealousy of Mme. de Clèves and thus mark progress in her love.

Quand vous ne vous justifierez pas. See note 5 to page 74.

89. **Par cette aventure.** *Aventure:* accident, ce qui arrive inopinément en bien *ou en mal.*

Ils ne le sont pas aussi. See note 2 to page 20.

Mme. de Thémines. Anne de Puymisson, wife of Jean de Lauzières de Thémines.

91. **Ce ne pouvoit être elle. . . .** Ce ne pouvoit être celle. . . .

94. **Le détail de mes malheurs.** *"Détail:* Exposé circonstancié . . ." *Dict. Acad.,* 1694. *Cf.* "(Il) lui fait un long détail d'un repas où il s'est trouvé," La Bruyère.

The printer, having enough to make a volume, decided that Part II should end here—in the middle of the Vidame's story.

PART THREE

96. **Villemontais.** Marie de Beaucaire, daughter of Jean de Puyguillon, and known as Mlle. de Villemontais, married Sebastien de Luxembourg, Viscount Martigues.

100. **L'aigreur ne la fit pas balancer.** *Balancer:* être en suspens, incertain, hésitant. *Cf.* Racine, *Andro-*

maque, Act i, Sc. iv: "Je ne balance point, je vole
à son secours."

La conséquence: grande importance, en parlant des
personnes et des choses. *Cf.* Molière, *L'Avare,* II, 5:
"Ce procès m'est d'une conséquence tout à fait
grande."

Une lettre où l'on avoit besoin. . . . Une lettre à
propos de laquelle on avait besoin. . . .

101. **Et balançoit son impatience.** *Balancer:* tenir en
échec; faire contrepoids à; contrebalancer. *Cf.*
Boileau, *Epître* III:

> "Mais un démon, l'arrête . . .
> Et, balançant Dieu en son âme flottante,
> Fait mourir dans son cœur la vérité naissante."

102. **La fortune de M. le Vidame.** *Fortune:* "Destinée;
ensemble de tout ce qui peut arriver de bien ou
de mal à un homme." *Dict. Acad.* In the English
sense of the word in *"fortune-teller."*

103. **Cependant.** With the original sense: *ce pendant*—
during this time—meanwhile.

105. **Il n'y a que vous . . . qui fasse confidence à son
mari.** Further preparation for the confession.

Tout à l'heure. Immédiatement. *Cf.* La Fontaine,
Fab. VIII, 3:

> ". . . Le prince tout à l'heure
> Veut qu'on aille enfumer Renard dans sa
> demeure."

107. **La conjuration d'Amboise.** The Huguenots and
others opposed to the Guises plotted to surprise the
Court at Amboise and to seize the King and Queen.
The conspiracy was discovered by the Guises and
many of the plotters were executed, 1560.

Cette lettre ne le regardoit pas. *I.e.,* ne le con-
cernait pas.

108. **Aux yeux même de son amant.** See note 1 to page 37.
for the meaning of *amant.* For the situation *cf.*
Corneille, *Le Cid,* Act i, Sc. vi:

> "Je dois à ma maîtresse aussi bien qu'à mon
> père:
> J'attire en me vengeant sa haine et sa colère;
> J'attire ses mépris en ne me vengeant pas."

Contente de sa passion. *Content* in this context in-
dicates absence of uneasiness—the calm of the mind
as regards the object of one's desires—rather than
the joy felt in the possession of what has been de-
sired.

109. **Peut être lui ferai-je le mal.** . . . Further preparation for the confession. The idea of saving herself by telling her husband her danger takes definite form in the mind of the Princess.

110. **Sa sœur la duchesse de Mercœur.** Jeanne de Savoie married Nicholas, Duke of Mercœur.

Il proposa au Vidame . . . , etc. *I.e.,* Il proposa au vidame d'aller avec lui. Le vidame accepta aisément cette proposition que M. de Nemours lui fit dans l'espérance . . . , etc.

Sans qu'il vît venir. S'il n'avait vu venir.

111. **Il entendit que M. de Clèves.** . . . The confession scene, which begins here, is not improved by the chance presence of M. de Nemours—a very improbable situation, but the conversation itself is admirable in its sobriety and delicacy. Valincour admires it and states that "Beaucoup de gens l'ont regardé comme le plus bel endroit de l'histoire." The scene was not unique as Mme. de La F. imagined, for a contemporary novel contains a similar confession and this was pointed out by Valincour. For a discussion of this question see Ashton, *Mme. de La Fayette,* pp. 164-5, and Appendix x.

Qui augmentoit toujours. Toujours: encore.

112. **Son silence achevant.** See note 6 to page 64.

114. **La considération d'un mari.** *I.e.,* la considération que l'on a pour un mari. *Considération:* estime accordée à une personne.

115. **Par où vous a-t-on donc fait voir** . . . *I.e.,* par quels moyens.

Dans ce moment. *I.e.,* A ce moment.

116. **Une chose si hasardeuse.** *Hasardeuse: hasard;* péril; risque. *Cf.* Boileau, *Sat.* vi., l. 66: "Je me mets au hasard de me faire rouer."

Il étoit impossible d'engager. See note 2 to page 11. The meaning of *engager* here is "to bind her to him." *Cf.* La Bruyère, *Car.* II, 25: "Un homme . . . qui n'a point de femme, s'il a quelque esprit, peut s'élever au-dessus de sa fortune . . . Cela est moins facile à celui qui est engagé: il semble que le mariage met tout le monde dans son ordre."

119. **Une chose supposée.** Inventée.

121. **Ce que je viens de vous dire n'est pas véritable.** M. de Clèves's trick (for which he afterwards apologizes) is criticized by Valincour. A similar trick is used by Racine, *Mithridate,* Act. iii, Sc. v.

122. **Une tendresse et une douleur qui le mit** . . . This edition keeps everywhere the singular verb as used

by Mme. de La F. after two cognate subjects. Though the rules of agreement were not so strict as they are now (see Haase, *Syn. fr.*, pp. 154-61), there is no justification for this particular practice.

Et se séparèrent sans avoir la force de se parler. See note 6 to page 64.

123. **Il la conjura de lui aider à observer ce prince.** De l'aider à observer ce prince.

125. **Madame de Clèves connut bien que. . . .** There may be an error in punctuation here. One might read "Madame de Clèves connut bien que c'étoit le duc de Nemours—comme ce l'étoit en effet. Sans se tourner de son côté elle s'avança . . . ," etc. The punctuation given in this text is that of the first edition and is more probably what Mme. de La F. wrote.

128. **Ce n'est pas de vous dont vous parlez.** Ce n'est pas vous dont vous parlez.

133. **Ce qui flatte sa gloire.** See note 4 to page 11.

135. **M. de Clèves affecta de ne plus parler à sa femme . . .** "*Affecter:* Il vient du Latin *affectare.* C'est tâcher avec un soin particulier d'avoir." Richelet, *Dict.* The derogatory sense is a development already in use in the XVIIth century.

L'hôtel de Villeroi. There were several Hôtels de Villeroi. This was probably the Hôtel of that name in the Rue des Poulies (Rue St. Thomas du Louvre), known in Mme. de La F.'s day as the Hôtel de Longueville.

136. **On en partit pour aller au Palais.** Le palais de justice—the law courts in Paris.

Une robe de drap d'orfrisé. *Orfrisé* was a cloth of gold with the ends of the threads raised like the "brushed" wool of ladies' jumpers.

138. **Le comte de Montgomery.** Count Gabriel de Montgomery, circa 1530-1574, captain of the Scots Guard. Beheaded May 27, 1574, after the wars of religion.

La prédiction que l'on avoit faite au roi. See page 69.

<h2 style="text-align:center">Part Four</h2>

142. **Des entreprises sur ses places.** *I.e.*, places fortes —fortresses.

Devant cette princesse. Avant cette princesse. See note 4 to page 56.

145. **Qu'elle lui en fît une finesse.** *I.e.*, une tromperie.

Que vous pussiez me faire des reproches. We should now write *que vous puissiez.* For the XVIIth century practice as regards sequence of tenses see Haase, *Syn. Fr.* § 67.

146. **Enfin il n'y a plus en moi ni de calme ni de raison.** This scene is one of the finest in the novel—the one in which M. de Clèves's love is most evident. Valincour admires it but is of the opinion that Clèves analyzes too much for a man who is carried away by his love. While this is true it should be remembered that Clèves—like Corneille's heroes—is deeply in love but is at the same time fully aware of the peculiar situation of his wife and of the *lutte intérieure* from which she is suffering.

147. **La passion qu'il lui témoignoit . . . l'amitié qu'elle avoit.** The distinction is between love (passion) and affection (amitié). See note 2 to page 47.

148. **Sa belle maison d'Anet.** Every penny that Diane de Poitiers could raise from the Duchy of Valentinois, given to her by her royal lover, was spent in the building and beautifying of the Château of Anet. When the King died she retired there.
Ce qui avoit donné envie . . . Valincour notes the weakness of this detail. If she sought peace of mind at Coulommiers Mme. de Clèves would have shown wisdom had she left the pictures at home. If she wished to calm her husband's mind this was a most curious way of doing so, and the presence of these pictures would be difficult to explain to him. Mme. de La F. needed the pictures, for the second scene in the summer-house, to convince Nemours of the Princess's love for him. This scene is romanesque and inferior to the others. Valincour criticizes it and remarks on the ease with which Nemours could enter the second time.

149. **Le sacre avoit été fait à Reims.** This ceremony was performed at Rheims down to the time of Charles X.
Le château de Chambord. Chambord is one of the finest examples of Renaissance architecture. Mme. de La F. seems to be untouched by its beauty.

150. **Qui étoit très capable.** His conduct and the results do not convince us of his value as an investigator.

151. **Une canne des Indes.** A malacca cane.

154. **Il s'en alla sous des saules.** This is the only description of nature in the whole novel, and even this appears to be a reminiscence of reading, for the river fringed with willows occurs frequently in contemporary writers (*L'Amadis,* iv, 151; Se-

grais, *Nouvelles; Clélie,* vi, 825; see Ashton, *Mme. de La Fayette,* pp. 161-2.)

Son cœur en fut tellement pressé. *Presser:* serrer à la gorge: oppresser: angoisser: tourmenter. *Cf.* Racine, *Iphigénie,* l. 941: "Je lis dans vos regards la douleur qui vous presse."

J'ai espéré au temps. *I.e.,* J'ai mis mon espoir dans le temps.

158. **Il prit la poste.** Since the days of Louis XI France had relays of post-horses along the main roads and this, of course, was the most rapid way to travel as no time was lost in resting horses. *Cf.* The English expression "To go post-haste. . . ."

M. de Nemours a entré. *"Entrer* se conjugue avec l'auxiliaire *être.* On dit *je suis entré* et non pas *j'ai entré.* Toutefois, si l'on veut exprimer que la personne dont on parle a fait l'action de passer du dehors au dedans, on dira correctement: *Elle a entré;* mais si l'on veut marquer l'état de cette même personne après qu'elle a accompli l'action d'entrer, on doit dire: *Elle est entrée,"* Bescherelle, *Dict. Nat. Cf.* Mme. de Sévigné, ". . . *de manière que le soleil n'a pas entré dedans."* This distinction is rarely observed nowadays.

159. **Ce sentiment.** *Sentiment:* manière de penser. *Cf.* La Bruyère, *Car.:* "Il faut chercher seulement à penser et à parler juste, sans vouloir amener les autres à notre goût et à nos sentiments."

Il ne pouvoit soutenir cette pensée. See note 1 to page 68.

162. **Elle lui conta.............comme.** *Comme* used as an adverb—*comment.*

163. **Il languit . . . et mourut.** For the logical working out of Mme. de Clèves's character it is necessary, of course, that M. de Clèves die. The rapidity with which he is removed, his complete acceptance of circumstantial evidence that is not considered conclusive even by the "gentilhomme qui étoit très capable," his determination to go on dying even when he knows the truth—all call our attention to the fact that, as a characer in the novel, he cannot be saved —whereas in real life there would be no reason for his death. The death scene itself is admirable.

La reine la vint voir avec soin. *"Soin:* sollicitude," *Dict. Acad.,* 1694. *Cf.* Racine, *Phèdre,* L. 1612: "Je hais jusques au soin dont m'honorent les Dieux."

Lui rendre d'autres soins. See the preceding note. *Soins* is used in the plural for *attentions, égards,* *marques d'attachement,* and particularly for *assiduités, hommages galants* towards a person one loves. *Cf.* Rotrou, *Venceslas,* L. 698:

> "Les devoirs, les respects, les soins qu'il m'a montrés,
> Provenoient-ils d'un cœur qu'un autre objet engage?"

164. **Ces ordres si exacts.** *Exact,* from Latin *exactus*—"pushed to the extreme limit."

Elle repassoit incessamment. *Incessamment* now means *sans délai.* In the XVIIth century it meant *continuellement, sans cesse.* Cf. Corneille, *Le Cid,* L. 1739:

> "Qu'en un cloître sacré je pleure incessamment,
> Jusqu'au dernier soupir, mon père et mon amant."

Elle avoit pensé. *I.e.,* It had been the subject of her thoughts—she had wondered.

Des ouvrages de soie. Des ouvrages en soie.

166. **Toutes les fois qu'il vient céans.** *Céans:* "Ici dedans. Il ne se dit que des maisons . . ." *Dict. Acad.,* 1694. *Cf.* Mme. de Sévigné, II, 538: "Mme. Scarron vous aime; elle passe ici (*i.e.,* in Paris) le carême et céans (*i.e.,* in this house) presque tous les soirs."

Qui lui donnoit un trouble confus. The antecedent is, of course, *une idée.*

Où elle adressa ses pas. *Adresser:* diriger. *Cf.* Corneille, *Nicomède,* L. 117: "Mais votre frère Attale adresse ici ses pas."

Comme elle en fut proche. See note 1 to page 44.

167. **Ce prince se présenta.** The passage that begins here is one of the best psychological analyses in the novel.

168. **Les maux qu'elle prévoyoit.** See note 2 to page 178.

170. **Supposant.** See use of *supposer,* page 119.

Aucun hasard n'est à craindre. See note 1 to page 116.

Pour vous déliverer des extravagances. *Extravagance,* in conduct, is the contrary of prudence and wisdom.

174. **Une adorable maîtresse . . .** The contrast is between *maîtresse*—a woman one loves, and *femme,* wife—a woman one marries because she is of equal rank and fortune but with whom one is not necessarily passionately in love. For XVIIth century

practice in the arranging of marriages see Ashton, *Mme. de La Fayette,* pp. 47-8.

Je me suis flatté. A natural development of the meaning of *flatter*—to disguise the truth so as not to displease, is the secondary meaning: to deceive by false hope. *Cf.* La Fontaine, *Fab.* vii, 12: "Suivez jusques au bout une ombre qui vous flatte."

A m'attacher à vous. *I.e.,* si je m'attache à vous.

Avec la même sincérité que . . . *Que:* avec laquelle.

175. **Quand je n'aurois point de raisons.** *I.e.,* même si je n'avais de raisons . . .

La passion n'auroit subsisté que parce qu'il n'en auroit point trouvé en moi. "Au XVIIᵉ siècle, ainsi que dans la langue ancienne, le verbe d'une proposition complétive introduite par *que* se mettait souvent au *futur* ou au *conditionnel* parce que le verbe de la principale était au futur ou au conditionnel." Haase, *Syn. fr.* § 67 C.

Les choses que le hasard vous a appris. For lack of agreement of the past participle see Haase, *Syn. fr.* § 92.

176. **Je vous en ai trop dit . . . , etc.** An excellent example of XVIIth century syntax, at its worst: "Je vous en ai trop dit pour vous cacher *que* vous me l'avez fait connoître, et *que* je souffris de si cruelles peines le soir *que* la reine me donna cette lettre . . . *que* l'on disoit *qui* s'adressoit à vous, *qu'*il m'en est demeuré une idée *qui* me fait croire *que* c'est le plus grand de tous les maux."

177. **S'il n'étoit soutenu.** Si cela. See note 1 to page 63.

178. **Et cet objet funeste.** *Objet:* "Ce qui est opposé à notre vue . . . ou ce qui se représente à notre imagination." Furetière, *Dict.,* 1690.

J'y consens, et je vous en prie. It will be noted that there are *two* reasons for refusing to marry M. de Nemours. The first of these—the one that is generally taken to be the sole reason—is Mme. de Clèves's duty to her late husband. This situation is in the best tradition of Corneille. There is, however, a second reason—nearer to the knowledge and tradition of Racine. Mme. de Clèves is not completely blind in her love. She knows that this is not the first "affair" of the handsome Nemours and she wonders whether she herself is not in love with the ideal—whether the reality would not be a bitter deception, whether, in short, Nemours is really worthy of her. She decides that he is not. Her conduct is dictated not merely by her duty to her late husband but also by her desire for peace. No final decision is made in this scene and here again Mme. de La F.'s psychology is sound. There is no open rupture; Nemours still hopes; the hopes wane; "enfin, des années entières s'étant passées, le temps et l'absence ralentirent sa douleur et éteignirent sa passion."